COMUNICAÇÃO POLÍTICA

LEONARDO STOPPA
SÁLVIO NIENKÖTTER

Copyright ©Leonardo Stoppa, Sálvio Nienkötter, 2020

Direitos reservados e protegidos pela lei 9.610 de 19.02.1998.
É proibida a reprodução total ou parcial sem autorização, por escrito, da editora.

Coordenação editorial: Sálvio Nienkötter
Editor-executivo: Raul K. Souza
Editora-adjunta: Isadora M. Castro Custódio
Editores assistentes: Daniel Osiecki e Francieli Cunico
Revisão: Daniel Osiecki
Capa: Jussara Salazar
Projeto gráfico: Carlos Garcia Fernandes
Produção: Cristiane Nienkötter
Preparação de originais: o Autor

Dados Internacionais de Catalogação na Publicação (CIP)
Angelica Ilacqua CRB-8/7057

Stoppa, Leonardo.
  Comunicação política / Leonardo Stoppa, Sálvio Nienkotter. -- Curitiba : Kotter Editorial, 2020.
  176 p.

  ISBN 978-65-86526-51-6

  1. Política e governo - Brasil- Comunicação na política I. Título II. Nienkotter, Sálvio

                                              CDD 320
  20-3559

Kotter Editorial Ltda.
Rua das Cerejeiras, 194
CEP: 82700-510 - Curitiba - PR
Tel. + 55(41) 3585-5161
www.kotter.com.br | contato@kotter.com.br

Feito o depósito legal
1ª Edição
2020

COMUNICAÇÃO POLÍTICA

LEONARDO STOPPA
SÁLVIO NIENKÖTTER

Dedicamos esse trabalho a nosso mestre e gentil agregador do campo progressista

Leonardo Attuch

À Luiza, e à Cristiane

Agradecemos

A toda a comunidade progressista que, como uma grande família, nos acompanha nos momentos de luta e nos apoia nos momentos difíceis.

A Ambra University, em especial ao Professor Douglas de Castro. Dela saiu muito do que porta este livro.

Ao Grupo Unis, especialmente ao Celso Gomes, meu professor de guitarra, pelo que têm feito pela democratização da música.

À equipe de editores da Kotter, por abraçar esse projeto com afinco.

E eu, Leonardo, agradeço ao Helvécio Ratton e à Simone Matos, meus orientadores em comunicação social durante a década que trabalhei na Quimera Filmes.

E ao casal de amigos, mais que irmãos, Sinem e Suby, que me acolheram carinhosamente em Milton Keynes e me incentivaram no aprofundamento destes temas e me encorajaram para gravação dos meus primeiros vídeos.

Apresentação

Por Sálvio Nienkötter

Este livro é composto apenas por textos inéditos, com capítulos em forma de artigo, como se estivessem sendo destinados à publicação na imprensa.

Por isso, alguns temas são retomados em momentos diferentes, até para uma melhor fixação e para contextualizá-lo melhor na teia de relações em que ele se inscreva.

A responsabilidade pela redação final dos textos é minha, contudo, exceto por alguns detalhes muito pontuais e secundários, todos os capítulos foram escritos a partir de ideias colhidas de textos e vídeos, públicos e inéditos de Leonardo Stoppa.

O demais foi resultado de longas e gratificantes conversas com esse ícone da comunicação que é, por isso, o responsável pela alma e substância deste livro.

Mesmo assim, devido aos inúmeros ires e vires dos textos, em alguma instância, entendemos esse livro como escrito a quatro mãos e, por isso, nenhum de nós assume integral e isoladamente todas as teses aqui defendidas.

Pretendemos que esse seja o primeiro volume de uma série, que só deve se esgotar na medida que entendamos que se torne obsoleta, algo que em princípio só será possível quando o progressismo conseguir voltar a triunfar.

Entendemos que esse momento só poderá advir do aprofundamento da compreensão, e do uso de métodos mais eficazes para disseminar a ideologia progressista, que é sem dúvida vital para a elevação do bem-estar geral e da reafirmação da soberania, ora tão ameaçada.

Sumário

A Riqueza	15
Comunicação Política hoje	29
Em jogo a renda	45
Pobre: um referente sem objeto	63
A Guerra e a Guerra da Comunicação	75
O Influenciador: o Jornalista e a Verdade	93
O Fator Inveja	105
Crônica da inveja no cancelamento de Lula	117
A Árvore de Keynes	133
A antiga questão do imposto	145
O imposto invisível	159
Convicção Conveniente Cicloalimentada	167

A Riqueza

O contínuo desenvolvimento tecnológico eleva no mesmo ritmo a capacidade de produção, e essa elevação, somada à crescente população mundial tende a uma disputa cada vez maior pelos recursos naturais. A tendência de escassez destes recursos é hoje um dos principais problemas a serem enfrentados pela humanidade, politicamente fracionada em países, que são economicamente divididos em desenvolvidos e em desenvolvimento.

Na busca de ver garantido a si o fornecimento desses recursos, potências desenvolvidas empregam as mais diversas formas de explorar os países em desenvolvimento. Nas mais das vezes encontram formas tuteladas no arcabouço do Direito Internacional que, por meio de instituições e tratados justamente desenhados para atender os interesses dos *players* mais poderosos, tende a perpetuar essa condição.

Indiferentemente dos meios empregados e as justificativas utilizadas, o objetivo é sempre criar condições para que os países em desenvolvimento se voltem à produção de *commodities* com baixo valor agregado, enquanto seguram o consumo interno por meio da má distribuição de renda. Tal dinâmica nos leva a concluir que a manutenção desse sistema depende de um crescimento cada vez maior da desigualdade social, já que para conter o consumo familiar, é preciso impedir a distribuição de renda, mantendo um rendimento às vezes incapaz de sustentar tal consumo mesmo em níveis mínimos.

Nunca se industrializar (ou ser condenado à desindustrialização) e por isso se perpetuar como eterno produtor de *commodities* é um fenômeno já estudado na economia como Doença Holandesa. É possível que um país se permita contaminar por tal patologia sem distanciar seu povo do consumo, como acontece nos Emirados Árabes, mas também é possível o acontecimento sinérgico dessas duas desventuras, que é o que estamos observando no Brasil desde o início dessa crise que vivemos hoje.

Importante salientar que limitar-se à condição de extrativista pode ser uma decisão ou a única opção disponível a determinados países, sendo inclusive defendida por alguns teóricos das Relações Internacionais como uma forma de acoplamento de interesses econômicos. Já a política de governo "por procuração", na qual uma potência, através da influência na democracia de um país em desenvolvimento, consegue comandar o governo daquele país, produzindo efeitos negativos como diminuição do emprego e acesso ao consumo e com isso conduzindo a população à miséria, objetiva entre outras coisas a diminuição na pressão nos recursos naturais. Tal política pode estar combinada com a condição de produção de *commodities*, mas isso não é uma regra.

A forma mais objetiva para entender a diferença é olhar para um país produtor de gêneros primários e ver se o povo tem acesso ao consumo. Se sim, não é este o caso; se não, como é o famoso caso da Índia, que produzia alimentos só para exportação, ou desse novo Brasil que estamos criando, aí é um exemplo do acúmulo das duas coisas.

E desde quando estamos criando este Brasil que troca o acesso ao consumo pelo aumento da fome? Infelizmente nós, por ação ou omissão, estamos trocando indústria e comércio por PIB rural, já que "o agro é pop", como afirma a Rede Globo de Televisão. A resposta para o "desde quando" pode ser sempre que somos governados contra nós, como o fomos, recentemente, na primeira gestão do PSDB, quando Fernando Henrique Cardoso fez um governo entreguista e subalterno, após o golpe parlamentar de 2016, no qual Michel Temer, apesar de carimbado pela sigla PMDB, passou a cumprir as pautas defendidas pelo PSDB durante a campanha de 2014, ainda vigentes no fechamento deste livro, através do governo de Jair Bolsonaro.

Somos hoje no mundo quase 7,8 bilhões de pessoas, todas dividindo os recursos de um planeta que já acumula, apenas nos 5 primeiros meses de 2020, a emissão de 13 milhões de toneladas de CO_2, 1.872.050 hectares de florestas perdidas, 2.520.720 hectares de terra fértil erodidos e 4.319.700 hectares de terras férteis perdidos para a desertificação.

Apesar de a história atribuir à humanidade moderna uma existência de aproximadamente 300 mil anos, a explosão demográfica que observamos hoje aconteceu nos últimos séculos. Senão vejamos. Em 1350, a população era de aproximadamente 370 milhões de habitantes, ou seja, menos de 4,7% do que é hoje.

Apesar de toda evolução tecnológica e concomitante aumento na produção de bens de consumo, um estudo da ONG Oxfam denuncia que vivemos hoje uma realidade na qual aproximadamente 60% do dinheiro mundial é atribuído a 2.153 bilionários.

O mesmo estudo apresenta outro abismo social: a fortuna do 1% mais rico do mundo corresponde a mais que o dobro da riqueza acumulada por 92% da população do planeta. Significa que as 80 milhões de pessoas mais ricas possuem o dobro do que possuem 6,9 bilhões de pessoas menos ricas.

O resultado desta extrema desigualdade social é que, apesar dos grandes números expressos nas contas bancárias, quase a metade da população vive abaixo da linha da pobreza e se esforça para satisfazer suas necessidades básicas.

É imperativo admitir que a disputa por recursos naturais aumenta na mesma proporção em que aumenta a redistribuição de renda. Daí fácil se infere que confrontos entre as maiores potências não se devem meramente à disputa pelo status da *liderança mundial*, mas principalmente pelo controle dos recursos naturais do globo terrestre.

Esse fator implica na colonização, mesmo que de forma indireta, dos países ainda ricos em recursos, mas que se encontrem em estágios menos intensos de desenvolvimento econômico.

A origem, a ideia, do dinheiro guarda estreita semelhança com a da nota promissória, com a diferença que o seu emissor é, pelo menos em tese, uma sociedade materializada institucionalmente em um estado soberano. Trata-se de uma promessa de conversão do valor de face em produto ou serviço. Embora praticamente toda a humanidade acate e até seja hoje regida pelo sistema financeiro monetário, é preciso admitir que tal sistema é incapaz de representar a riqueza, e o mais difícil ainda: a riqueza ao longo do tempo.

Na prática, o capitalismo financeiro precisa lidar com a inexistência de recursos naturais e humanos suficientes para converter em riqueza real a base monetária, cada vez mais expandida. De uma forma muito simples, pode-se afirmar que os trilhões de dólares que compõem a pretensa riqueza mundial só existem na imaginação daqueles que culturalmente acreditam neste dogma, o que faz da base monetária atual uma ilusão, que na economia costumamos chamar de bolha especulativa.

Por não representar de forma concreta a riqueza disponível a todos os envolvidos, a sustentação do sistema financeiro depende de um aumento cada vez maior da desigualdade social, que implica na tendência de diminuição do proveito marginal da riqueza, permitindo que valores puramente especulativos sejam atribuídos a um grupo de bilionários, em detrimento da grande maioria da população.

Para compreendermos o conceito de proveito marginal da riqueza, basta pensarmos naquele produto que consumimos regularmente. Tomemos o exemplo da carne, mas claro que se pode pensar em qualquer outro produto. Imagine que seu rendimento mensal médio tenha sido na ordem de 5 mil r   eais, e que com este padrão econômico você e sua família consumam 300 gramas de carne por dia. Agora imagine o seu rendimento dobrado e projete sua próxima ida ao açougue. Por fim, eleve seu rendimento mensal para 5 milhões de reais. Perceba que não haveria alteração proporcional no consumo de carne, porque um grande aumento na renda não implica em proporcional apetite ou mesmo capacidade para consumi-la.

Arrematando de uma forma muito simples, podemos afirmar que o aumento na riqueza do 1% mais abastado não implica na proporcional corrida pelos recursos naturais que implicaria um aumento real na riqueza do restante da população. Somos daí levados a concluir que a manutenção deste sistema especulativo é dependente de um aumento cada vez maior na desigualdade social. Logo, podemos afirmar que o sistema capitalista financeiro como conhecemos hoje é "mentiroso" de fato, já que calcado num dinheiro de valor ilusório.

O valor real do dinheiro aparece no momento em que percebemos de forma clara a impossibilidade de conversão de toda a base monetária ora existente em riqueza real, ou simplesmente em produtos. Imagine: e se a riqueza dos 1% mais ricos fosse igualmente dividida pela população mais pobre? Imediatamente teríamos um aumento na demanda por produtos que sequer são produzidos em escala suficiente para atender este tamanho de população. Não haveria nem estrutura industrial, nem mão de obra, nem recursos naturais minimamente suficientes para a descomunal demanda que seria criada.

Daí se segue que a redistribuição de renda geraria um desabamento no valor do dinheiro, com o imediato aumento dos preços dos produtos demandados, mecanismo irrefreável, por ser advindo de uma lei natural do mercado, a saber, a lei da oferta e da procura.

O dinheiro como conhecemos hoje é ilusório, já que sua conversão em recursos depende de um controle sobre a sua distribuição ou disponibilidade, de modo a acompanhar a disponibilidade real dos recursos.

Outra fragilidade desse sistema advém da imaginação de que se pode acumular riqueza através de depósitos financeiros. O dinheiro não é riqueza, em absoluto, ele tão-somente *representa* a riqueza. Esta representação depende da crença dos participantes do sistema, ou seja, de todo o povo, que este dinheiro, meramente abstrato, representa e continuará representando a capacidade de aquisição de produtos ou serviços nas situações da vida real.

Na prática, o dinheiro não utilizado, seja o guardado "debaixo do colchão", seja o depositado na poupança, pode ser responsável pela abdicação do consumo. Tal abdicação, quando observada sob a ótica da disputa por recursos, é amplamente desejada pela parte que concorre por esses mesmos recursos.

Um exemplo assim seria o de um trabalhador que, dos cinco mil reais de salário mensal que recebe, deposita dois mil numa poupança. Não está fazendo uma poupança advinda do excedente, mas sim de um sacrifício, uma renúncia. Por exemplo, deixa de comer carne, a substitui por um produto mais barato, como ovo. Esse trabalhador poupa como uma forma de garantir uma necessidade eventual futura.

Trata-se de um trabalhador que deixa de usar o dinheiro por estar sendo induzido à cultura da poupança: poupar por medo, a fim de estar pronto para lidar com eventualidades imprevistas, algo especialmente comum quando não se dispõe de um estado de bem-estar social, que é exatamente para onde o Brasil está sendo conduzido hoje.

Já que nos fixamos no exemplo da carne, uma das marcas do período do recente governo popular que tivemos era que o trabalhador passou a fazer um churrasco no fim de semana. Além de uma renda que dava um poder aquisitivo maior, havia a crença no dia de amanhã; que para a saúde poderia contar com o SUS e que seus filhos teriam escola pública à disposição.

Numa situação como a atual, apesar de já enfrentar dificuldades maiores para que seu salário assegure todas as despesas até o fim do mês, esse trabalhador preocupa-se ainda mais em poupar, devido a incertezas relativas à continuidade do SUS, às dúvidas quanto à manutenção de oferta de vagas na escola pública. Com isso, ele reduz ainda mais sua qualidade de vida, impactando negativamente no consumo, diminuindo assim a atividade comercial local e liberando nossa produção para ser exportada. É dizer, ele deixa de consumir aqui, para que alguém consuma lá fora.

Esse trabalhador não é um consumidor de produtos financeiros. Não se trata de um investidor, mas de um poupador induzido pelo medo. Quando não guarda o dinheiro em casa, opta pela poupança, que em situações normais corrige monetariamente o valor depositado tomando por referência uma taxa definida pelo governo. Em circunstâncias de crise interna como a que vivemos hoje, típicas de países em desenvolvimento com governo sob influência de potências imperialistas, remunera negativamente quando comparada à renúncia de consumo. Ou seja, é normal numa situação assim que os bens de consumo que foram objeto de renúncia sequer possam ser adquiridos na mesma quantidade com o valor sacado no futuro.

Mas, estamos falando que não vale a pena investir na bolsa? Ser acionista? Virar um Rockefeller ou Warren Buffet? Não! Em nada essa situação se assemelha com a dos *consumidores de produtos financeiros!* Imagine um procurador que, juntando seus altos rendimentos normais com o de palestrante e lobista, decide aplicar dinheiro. Ele, sim, vai escolher as melhores opções de aplicação! Além de ter conhecimento e informações privilegiadas para escolher as melhores tendências, vai diversificar , vai comprar um lote de apartamentos MRV, vai colocar um pouco de dinheiro no RDB, ações de um banco que vai comprar a BR distribuidora após as eleições sobre as quais tem poder de influência nos resultados. Enfim, bem mais fácil, não é mesmo?

Nesse caso, o valor futuro estará mais garantido e seu investimento será certamente remunerado e, o mais importante aqui, essa postura não vai diminuir em nada o seu consumo atual: a carne não será substituída por ovo para que fique disponível para a exportação.

Há uma diferença determinante entre o trabalhador que desenvolve, por medos e incertezas quanto ao futuro, a cultura da poupança, sacrificando sua qualidade de vida atual, daquele trabalhador que por opção decide consumir, entre outros produtos, um produto financeiro.

Assim, o trabalhador que fazia churrasco todo final de semana, mas agora, com medo da precarização ou mesmo do fim do atendimento pelo SUS e a possibilidade do fechamento das escolas públicas, guarda seu dinheiro para essas eventualidades, é um poupador induzido à poupança pelo medo da conjuntura. Se não fosse o medo, ele não pouparia. Já o Procurador que compra apartamentos e aplica em linhas de investimentos não sacrifica em nada sua qualidade de vida, aplica e multiplica o que já lhe sobra.

A maior parte do dinheiro investido de forma consciente no mercado financeiro advém de especuladores abastados, a quem os valores aplicados não impõem uma privação de consumo, mas que participam desse mercado apostando no rendimento em si, num cassino de apostas que gera muito lucro monetário, mas nenhuma riqueza.

Esse tipo de ganho seria naturalmente inflacionário, já que ele ocasiona aumento na base monetária sem a concomitante geração de riqueza. A não ser que algo neutralizasse essa inflação, ela neutralizaria esse ganho. O único mecanismo capaz de produzir tal neutralização é impor aos menos favorecidos a geração de riqueza sem ganho monetário.

O desafio para os que ganham dinheiro sem gerar riqueza é manter outros gerando riqueza sem ganhar dinheiro. A solução encontraram na comunicação, mais exatamente na Comunicação Política. Uma comunicação com força de fazer o explorado bradar pelos direitos do explorador, pelo reforço do sistema que exclui a ele mesmo do consumo, da fruição da riqueza que gera.

Discutir e compreender essa comunicação a fim de desenvolver uma contra comunicação capaz de neutralizar esses efeitos é o propósito deste livro.

Comunicação
Política hoje

É certo que toda a história política evolui num *continuum*, em um arco tencionado por múltiplos vetores. Como muito do vivido permanece, já que a permanência da forma é inerente ao humano, a história da política precisa ser permanentemente reavaliada e tratada como exemplo, seja para ser imitada no que tem de positivo, seja para ser evitada no que não deixou boa memória.

Ao passo desse contexto, toda a teoria produzida a respeito da constituição e gerência dos Estados permanece válida e também precisa ser visitada. Dentre as teorias inescapáveis, a *República* de Platão, a *Política* de Aristóteles e *O Príncipe* de Maquiavel são basilares. As questões que suscitam precisam ser discutidas e reavaliadas juntamente com a produção moderna, ainda que seja para refutar algo do que há nelas.

Não é, contudo, menos certo que as velhas formas de *Comunicação Política* necessitam de constante atualização, tanto mais nos Estados democráticos, que funcionam em simbiose com elas.

Como observa Maquiavel, nem o maior déspota pode governar só com a força por muito tempo. Há de ter apoio popular. Em geral, os governos de força que foram longevos o foram por contar com amplo apoio, não só da elite, mas também de um naco considerável das camadas populares.

Esse trabalho se propõe a discutir a Comunicação Política, especialmente por conta dos últimos eventos que são resultantes exatamente do poder da Comunicação Política aplicada em seu estado da arte e da técnica, infelizmente utilizada para a obtenção de desastres reais, políticos e sociais, no contexto democrático.

E não existe democracia se não há igualdade de conhecimento e acesso à informação, tanto por parte do povo quanto por parte dos candidatos. A democracia muitas vezes serve como uma simples legitimação da autoridade política, já que essa legitimação aquieta os povos. Mesmo em condições normais, o poder financeiro sempre exercerá influência sobre quem será candidato, quem terá verba para se promover e pra que lado a mídia vai. Logo, a democracia, onde há, é sempre relativa e ideal. Não há como alcançá-la. Ela é em si uma utopia, comparável à utopia do comunismo, da possibilidade de extinção do Estado e outras variantes que dependeriam de uma sociedade composta por homens perfeitos.

Não é novidade pra ninguém que a democracia, como a conhecemos, deu seus primeiros vagidos na ágora [ou seja, na praça] ateniense. Isso ao redor do século quinto antes de Cristo, e numa Atenas que, como as demais cidades da Grécia e de vários outros lugares do mundo à época, eram constituídas como cidades-estados. Ou seja, tinham absoluta autonomia política e econômica, gozavam de plena soberania, embora fossem formadas por pequenas extensões e tivessem baixos índices de densidade demográfica.

Tratava-se de uma democracia diversa da que conhecemos. Era uma democracia direta, na qual os cidadãos votavam objetivamente nas leis, e não em representantes.

O modelo teve tanto êxito que passou a ser utilizado, com variantes, claro, por várias cidades-estados. Inclusive e principalmente por Roma, que viveu 500 anos de República, antes de voltar a se tornar imperial, no ano 49 antes de Cristo, quando César passa a governar como ditador absoluto, reestabelecendo na prática um império dinástico, que, por um lado, retomou um modelo abandonado por Roma há então 500 anos, no famoso episódio de violação e decorrente suicídio de Lucrécia e, por outro lado, acabou servindo de modelo para toda Europa até meados da Idade Moderna.

Vale dizer que Lucrécia teria sido violada por um príncipe herdeiro, e não suportando a ideia de ter perdido a pureza em seu amor pelo marido, teria se matado. A oposição levou seu corpo ao Senado, numa manobra política tão fulminante que não só apeou do trono o rei, mas também mudou o regime, extinguindo o próprio trono. Tocamos nesse assunto para lembrar que as várias maneiras de se comunicar politicamente, por palavras e gestos, é algo determinante e objeto de atenção há milênios.

*

Com a ascensão do Cristianismo por toda a Europa, entre vários outros lugares, a ideia de que o governante deveria ser alguém designado pelos céus foi tomando força, e a ideia de governantes escolhidos pelo povo, por meio do processo democrático, foi desaparecendo, só voltando de forma mais plena quase dois mil anos depois, já no século XIX, quando começou de fato o que chamamos de democracia moderna.

Embora já viesse sendo pensada e estruturada teoricamente desde o século XVII, principalmente a partir do trabalho de Montesquieu, que pensou no poder tripartido, num sistema de freios e contrapesos que por si evitariam o poder absoluto.

Cada Estado teve sua trajetória própria nessa redemocratização, mas as trajetórias se pareciam em geral. Eram todas muito restritivas no começo e foram se horizontalizando com o passar do tempo.

Por um largo período, por exemplo, no Brasil, só votavam os homens maiores, alfabetizados e que comprovavam alta renda. Depois passou a bastar ser maiores e alfabetizados, mas precisavam ser homens. Logo depois do golpe [ou revolução] de 1930, as mulheres alfabetizadas também passaram a gozar desse direito.

Só em 1988, contudo, com a promulgação da Constituição cidadã, o voto no Brasil passou a ser universal. Foi quando nossos milhões de analfabetos ganharam o direito de exercer o mais básico dos direitos cidadãos: o direito de votar. Ao mesmo tempo o direito foi estendido aos maiores de 16 anos de idade, ampliando ainda mais. Em ambos os casos, dos analfabetos e dos adolescentes, esse novo direito não acarretou obrigação.

A democracia moderna vem tropeçando de mal em mal por inúmeras questões. Neste livro nos concentraremos no papel da Comunicação Política, abordando, além de seus pormenores técnicos, sua importância e influência na implementação, na manutenção e até na destruição da democracia.

Nesse sentido entendemos que o primeiro golpe na democracia moderna foi desferido muito antes dela se instalar. Esse "golpe" teria se dado na primeira metade do século XV, por Johannes Gutenberg. Mas, diga-se, um "golpe" completamente involuntário, e com os mais elevados propósitos! Seu invento, a prensa, se constituiu num equipamento que contribuiu para a manutenção, réplica e divulgação do conhecimento. Nada mais nobre, claro.

O fato é que, com a prensa, os textos que até então só podiam ser copiados à mão, puderam ser reproduzidos em velocidade muito maior e, até por isso, a custos muito menores.

Até então, a única forma de Comunicação Política disponível era a realizada por arautos, pessoas que andavam pelas ruas batendo numa tabuleta e relatando a plenos pulmões o conteúdo de quem os contratava. Claro que era uma maneira de distribuir opinião publicada, mas muito mais rudimentar e mais limitada que o panfleto.

A partir da prensa de Gutenberg, começaram a se multiplicar os folhetos distribuídos nos povoados de então. Foi com esse processo, por exemplo, que Lutero, então um padre da igreja católica, conseguiu divulgar ideias que confrontavam o maior poder político da época, o poder da Igreja e, mais especificamente, do Papa, uma espécie de rei dos reis. Esse fato culminou em inúmeras e longas guerras fratricidas entre católicos e protestantes, guerras essas que ceifaram aproximadamente oito milhões de vidas.

Ato contínuo, os panfletos foram sendo cada vez mais regulares até, gradativa e naturalmente, surgir o que hoje chamamos de imprensa.

A questão é que se, por um lado, a imprensa passa a informar os cidadãos e com isso eles passam a poder votar mais conscientemente, por outro lado, ela acaba dando voz apenas ou a quem esteja ligado a essa imprensa ou a quem possa pagá-la, calando de forma muito contundente outras iniciativas e ideias.

No século dezenove, os jornais periódicos se multiplicavam na Europa. Surgiram as revistas e as elites se mantinham muito atentas, procurando primar, chegar antes na informação, fosse para seu próprio deleite, fosse para se valer dessas informações para assim fazer prevalecer seus interesses.

Um instrumento completamente novo e vibrante de veículo de comunicação surgiu em escala no início do século XX: o rádio.

Se, no seu longo percurso, os jornais foram recebendo uma legislação que os regulamentava, o rádio não tinha nenhuma, e assim acabou se mostrando uma arma poderosa e liberada para implodir a ainda recente democracia europeia.

Foi um fenômeno em rede, seja no Brasil de Getúlio Vargas, na Argentina de Perón, em Portugal de Salazar, na Espanha de Franco, mas principalmente na Itália de Mussolini e na Alemanha de Hitler.

O uso desse novo meio de comunicação que, como tal, era mal regulamentado, serviu como instrumento para que os governantes de ocasião se perpetuassem no poder, gerando uma cadeia interconectada de ditaduras no mundo.

Os trágicos resultados disso dispensam maiores comentários. Várias dezenas de milhões de mortos, um continente inteiro devastado, além da devastação de várias outras partes do mundo, e uma crise econômica sem precedentes.

Depois da Segunda Guerra mundial, inicialmente o ocidente deu largos passos no sentido da implementação de políticas que contemplavam o bem-estar social, notadamente na Europa. Esse processo pode ter sido impulsionado seja pelos traumas deixados no pós-guerra, seja pelo medo que também na Europa os trabalhadores se levantassem, seguindo alguma liderança, como havia se dado na Rússia em 1917. E isso, diga-se, em pleno decorrer da Primeira Grande Guerra Mundial.

Em meados dos anos sessenta, foi ficando claro que a União Soviética, conglomerado construído a partir da Revolução russa de 1917, dava sinais de esgarçamento, o que trouxe aos liberais maior tranquilidade para imposição de suas pautas, já que a diminuição da força da União Soviética significava, ainda que de forma indireta, a diminuição da percepção de poder por toda classe proletária mundial.

Aos poucos, a ideologia voltada ao bem-estar social, organizações sindicais e direitos trabalhistas foi perdendo força nos principais países da Europa. No Reino Unido, tal mudança veio através da vitória dos Conservadores em 1979, levando ao poder Margaret Thatcher, que, alinhando seu discurso econômico com as teorias propostas por Hayek e em sintonia com os discursos de Ronald Reagan nos Estados Unidos, espalharam pelo mundo um novo paradigma, voltado à ideia de redução do estado e maior preponderância da iniciativa privada.

Em síntese, Thatcher e Reagan praticaram um perfeito "faça o que eu digo, não o que eu faço". Quando observamos a postura das duas potências que pregavam esses paradigmas, mas os aplicava de forma bem conveniente. No Reino Unido, o Estado de Bem-Estar Social continuou a existir, já que esse é "no final das fritadas dos ovos", um importante estabilizador econômico e social, porém, Thatcher aniquilou os sindicatos, impedindo que trabalhadores se organizassem em novas greves, além de ter praticamente extinto algumas atividades como a mineração de carvão.

Por Thatcher, tudo friamente calculado: a eliminação dos sindicatos e as privatizações era a medida necessária para transferir o patrimônio do trabalhador aos grandes conglomerados financeiros. Já a eliminação da atividade de mineração acontecia simplesmente porque era mais lucrativo minerar na África e montar indústrias no Reino Unido, o que poderíamos explicar como exatamente o inverso da direção para onde estamos indo com o governo Guedes/Bolsonaro.

Reagan não enfrentou muitos obstáculos porque aos poucos o Keynesianismo dos EUA já havia sido transferido de atividades sociais para pontos onde sua aplicação acaba por passar despercebida, como a indústria da guerra, pesquisas aeroespaciais e outras atividades que da mesma forma, injetam dinheiro estatal na economia, porém, no lugar de construir casas, estradas e escolas, produzem mísseis, metralhadoras caças e outros artefatos ligados à vocação natural dos EUA, a saber, a produção de cadáveres.

Para o mundo, porém, duras medidas eram impostas como regras para a prosperidade. Surge para os subdesenvolvidos o gosto amargo do Estado Mínimo. Nos principais países, *think tanks* liberais passam a brilhar como donos da verdade e aos poucos a imprensa mundial vai se alinhando ao discurso de que qualquer medida de protecionismo é desastrosa ao desenvolvimento.

A TV, como continuidade do rádio mostrava ao mundo as benesses do capitalismo liberal, enchendo os olhos de telespectadores do sul subdesenvolvido: "É só diminuir o estado, diminuir os impostos, acabar com a burocracia e o progresso vem!". Nomes patrocinados foram estampados como profetas: a Escola de Chicago, de Rockefeller, promoveu Milton Friedman como a versão USA da crítica ao Keynesianismo a ponto de Hayek ficar relegado aos frequentadores dos cursos de economia. Keynes e o estado passaram a ser culpados por todas tormentas: do meteoro ao bicho de pé, tudo poderia ser resolvido diminuindo-se o estado!

Mirando exposição e as glórias possíveis apenas aos que repetem o discurso interessante aos mais poderosos, muitos acadêmicos se voltaram à produção do discurso pela redução do estado, fim dos impostos e fim da redistribuição de renda. *Think tanks* liberais se multiplicaram como ratos, num esquema de pirâmide que contempla em seu topo nomes fortes como Escola de Chicago, Escola Austríaca de Economia, Freedom House, Heritage Foundation, que fomentam os *think tanks* locais que no Brasil são nomes conhecidos como Ricardo Amorim, Rodrigo Constantino, Nando Moura, MBL, Vem pra Rua e chegam à base da pirâmide, onde se concentram trabalhadores alienados, despolitizados, que se veem como "liberais capitalistas" e ficam repetindo as frases de efeito dos influenciadores, que ao fim e ao cab0, muitas vezes, posicionam-se apenas ligeiramente acima dos influenciados no quesito alienação.

Em grande parte esse fenômeno se deve ao surgimento de um novo meio de comunicação, as redes digitais, que, novamente, como havia acontecido no aparecimento do rádio, vinha como um tsunami. Ou seja, desgovernado; é dizer, sem qualquer regulação.

O que vemos hoje, pelo menos segundo nossa tese, é um cenário que guarda diversas semelhanças com o cenário que criou as ditaduras dos anos 1930. Um dos seus primeiros efeitos deletérios se consumou na chamada Primavera Árabe que desestabilizou politicamente vários países, com destaque para o Egito.

A eleição de Trump, em 2016, foi obtida pelo uso preciso, inteligente e completamente desavergonhado desse novo meio de Comunicação Política que emprega as tecnologias digitais, especialmente as redes sociais. Um uso planejado por figuras que nunca sentiram necessidade de esconder seus métodos geniais e... antiéticos: Roger Stone, Steve Bannon e o próprio candidato, Donald Trump.

Historicamente, sempre que aconteceu alguma coisa importante, ou uma importante mudança de rumos nos impérios mundiais de todos os tempos, isso sempre se espalhou para os países periféricos.

Nos nossos tempos não poderia ser diferente. Depois de Trump pululararam como nunca governantes descompromissados com a verdade e ainda menos com os interesses das minorias. Para se manterem no poder, não sentem necessidade de dar a elas nada além de comunicação alienante, em outras palavras, ampla e bem medida desinformação.

Roger Stone, o primeiro a convencer Trump a se candidatar, e que gerenciou a primeira parte da sua campanha, faz questão de declarar, de forma narcísica e com todas as letras, seu apego ao poder da desinformação que, segundo ele mesmo, aprendeu a usar já na adolescência. Não tardou a compreender que era mais difícil controlar as pessoas pelo amor que cultivam, mais fácil é manipulá-las pelo ódio que sentem.

Neste ponto convém, contudo, destacar que Trump não é apenas resultado das *fake news* e do trabalho de Bannon. É primeiramente resultado de um longo período de enganação e mentiras por parte de todos governantes dos EUA. O povo não confiava mais nos políticos e o discurso de Trump foi calibrado, articulado para aquele momento. Antes de ser um candidato abjeto, Trump era um talentoso apresentador de TV, conseguiria fazer o discurso ao modo de Obama, ou discurso ao modo de Serra. Mas, uma vez estudada a demanda social, concluiu-se que o povo queria ver sangue!

Desde que ganhou a eleição, mesmo dispensando todas as formas tradicionais de polidez e empatia, Trump parece ter servido de modelo a vários países, que passaram a, de forma democrática ou não, ostentar chefes de estado que desprezam o conhecimento filosófico, cultural e científico, assim como investem na reescrita da história e em teorias exóticas para explicar o mundo e seus fenômenos. O Brasil, a mal nosso, está entre eles.

É imperioso notar, não obstante, que Trump governa para a soberania e interesses de seu povo, o oposto direto do que vemos no Brasil, com um governo subserviente, que nos governa para o interesse americano.

Neste sentido, importa observarmos que Trump é visto de uma maneira pelos estrangeiros, mas de outra pelos próprios estadunidenses, até porque conseguiu implementar algumas promessas de campanha, como aumentar os índices de emprego dos americanos e diminuir a intensidade das guerras quentes.

Por outro lado, o uso consciente do estado da arte e da técnica em comunicação, entre outros, já derrubou vários governos nos eventos da Primavera Árabe, polarizou a sociedade brasileira, criando a maior crise social e política dos últimos tempos, produzindo a derrubada da Presidenta da República em 2016, seguidos do maior crescimento no desemprego e na maior queda econômica da nossa história. Também foi essa arte e técnica que elegeu Trump nos EUA e conseguiu influenciar decisivamente no resultado do Brexit, pelo qual o povo do Reino Unido decidiu retirar-se do bloco europeu, nascido exatamente para garantir, através da interconexão e interdependência, estabilidade regional e impossibilidades de novas guerras entre seus membros.

    E como conseguiram tudo isso? Com o uso técnico da comunicação. Daí a centralidade e urgência desse tema.

Em jogo a renda

A *Distribuição de Renda* no Brasil está sob franco ataque. Mas, por quê?

Primeiro porque o planeta tem um limite de produção de recursos. Por isso, o produto consumido por um brasileiro, obviamente, não poderá ser consumido por um norte-americano ou por algum outro habitante de outro país com ingerência sobre o nosso.

Mas e o que a distribuição de renda tem a ver com isso? Muito a ver, mas por uma razão nem sempre tão evidente: é que o pobre, se ganha mais, consome mais; já o rico, como já foi dito, tem tudo que necessita, se ganha mais, guarda, investe, ou até põe na ciranda produtiva, mas não gasta, não consome. Ou seja, como com o que já ganhava tinha tudo e sobrava, quando recebe mais, deixa pra sobra, pro investimento e não pro consumo.

Eis a principal razão de estar sob ataque no Brasil a redistribuição de renda. Renda bem distribuída aumenta o consumo, renda mal distribuída diminui o consumo interno.

Senão vejamos. Existem duas maneiras bem distintas de evitar a distribuição de renda e de empobrecer mais os trabalhadores.

I. A primeira é de forma indireta, mais disfarçável, como por exemplo, tirando dinheiro da educação e da saúde e obrigando, com isso, o trabalhador a desviar parte de sua renda (que estava destinada ao consumo) para esses itens, restringindo desse modo seu poder de compra e de consumo.

II. A segunda maneira é pelo modo direto, arroxando salários, estimulando a precarização, impedindo os sindicatos.

Todas essas estratégias estão em curso desde que, após o golpe parlamentar de 2016, o PSDB e demais forças assumiram o poder através do governo de Michel Temer. Esse novo governo imediatamente cuidou de impor um limite aos gastos públicos, por meio da PEC 241, a chamada PEC da Morte, tirando dinheiro da saúde e da educação e gerando corte indireto no consumo (caso I). Na sequência modificou a Constituição Federal criando possibilidades de contratação de trabalhadores fora do regime CLT, o que na prática resultou na extinção dos direitos trabalhistas para muitos que foram recontratados neste novo modelo. (caso II).

Um exemplo prático

Vendo reduzido seu poder aquisitivo, o trabalhador diminui, por exemplo, o seu consumo de carne bovina. Essa redução acarreta uma diminuição da demanda interna por esse produto, forçando, naturalmente, o país a buscar o mercado externo. Essa busca provoca, por seu turno, um aumento na oferta internacional que, pela lei mais natural do mercado, leva à diminuição dos preços dessa carne a ser exportada.

Em nada interessa aos estadunidenses, por exemplo, que comamos mais. Ao contrário, essa é uma das suas razões para manter pauperizadas as nações periféricas.

E esse mesmo raciocínio serve para qualquer bem de consumo, por evidente.

Importa a esse estrangeiro acima de tudo que consumamos menos para sobrar mais e, portanto, por menos, pra que eles consumam. A eles pouco importa se essa redução será obtida pela via direta, do arroxo; ou mais indireta, da redução na oferta de serviços públicos.

A ideia é que estejamos vivos, em número reduzido porém suficiente para trabalhar, mas que consumamos apenas as calorias necessárias, oriundas de alimentação limitada, como a baseada em carboidratos básicos, como trigo, cana de açúcar e mandioca, para nos mantermos produzindo aqui e transferindo a riqueza pra lá.

O fator concorrência

Quando o país diminui a desigualdade interna, distribuindo melhor a renda, sua economia tende a crescer como um todo, algo que aconteceu nos governos do Partido dos Trabalhadores, notadamente no governo Lula.

Tal crescimento econômico tem por consequência o nascimento, crescimento e amadurecimento de empresas assim como de altas tecnologias, que se estabelecem a fim de servir às demandas locais, cada vez maiores por causa da multiplicação econômica advinda do aproveitamento dos fatores de produção antes subutilizados.

É natural que ao atingir certa maturidade, indústrias e serviços deste país em desenvolvimento comecem a disputar mercados internacionais com empresas dos países desenvolvidos, a exemplo das empresas de construção civil brasileiras que, antes de serem destruídas pela Operação Lava Jato, disputavam mercados em todo o mundo. Outro exemplo é o frigorífico JBS, maior produtor de carne do mundo e segundo maior produtor de alimentos do mundo. Também a Embraer e outras empresas brasileiras que, antes do início da interferência dos EUA, por meio da contaminação das instituições Ministério Público e Poder Judiciário, eram atores importantes do mercado internacional.

Mas o império nos quer como uma nação pobre, e não como nação rica, capaz de disputar os mercados que o império detém. Esse é o outro eixo que faz com que eles trabalhem pela nossa desigualdade.

O fator soberania

É preciso entender também que os países em desenvolvimento têm sua soberania relativizada, por viverem sob constantes ataques dos países ricos, mormente da potência hegemônica. Isso sempre foi assim na História, basta ver como os romanos agiam no mundo inteiro, nos primeiros séculos da era cristã; ou como os ingleses impunham seus interesses no século dezenove, por exemplo.

Temos o exemplo recente da espionagem que sofremos do governo Obama, que grampeou a Petrobras inteira e até o telefone da Presidenta da República. As consequências não tardaram. Os dados que obtiveram alimentaram diretamente a Operação Lava Jato, com efeitos nefastos para a Petrobras, que desde então vem sendo reduzida a pó. Para não falar do mais grave: não tardou para a presidenta levar um golpe institucional, obtido pelo canhestro cancelamento de sua reputação na sociedade através de *fake news* em redes e criação de factoides jornalísticos que construíram a percepção social de incompetência administrativa e corrupção.

Esse cancelamento serviu para subsidiar esse golpe parlamentar que, desprovido de motivos constitucionalmente previstos, era respondido com a justificativa de que o impeachment respondeu ao que "o povo pediu nas ruas". Mas isso tudo já é fato, já é história. E hoje, o que está acontecendo?

O fator do controle da comunicação

Está acontecendo um cancelamento: um cancelamento das ideologias. Existe uma força para que todos os espectros ideológicos trabalhem pelo aumento da desigualdade. Aliás, a distribuição de renda desapareceu no discurso de vários atores políticos da esquerda, tanto da esquerda raiz, quanto da esquerda mais de ocasião.

Houve um "endireitamento" no discurso de parte da esquerda, uma intensificação dos vetores no sentido neoliberal, numa aparente tentativa de ampliar e conquistar corações mais ao centro.

Importa dizer que não falamos isso para atacar esses atores, em absoluto. Queremos dizer que percebemos inclusive a sofisticação na comunicação que esse passo exige.

Ainda, reconhecemos que esse procedimento pode mesmo elevar as chances de êxito nas eleições que se aproximam.

O problema é o furo que faz na ideologia a longo prazo, o embaralhamento que promove, a descrença na política que gera, enfraquecendo assim a democracia.

Talvez esses atores entendam esse processo como irrefreável – como, aliás, realmente é. Afinal, salvo ante grandes estadistas, como Getúlio Vargas e Lula da Silva, qualquer governo fraco tende a fazer no mínimo como FHC, que realizava malabarismos para atender os anseios de Clinton, ou pior, como Bolsonaro, que governa declaradamente para os interesses do governo Trump. Governos fracos, como o presidido por Bolsonaro, tendem a depender cada vez mais do poder imperial que os sustenta e, por isso, alinhar-se cada dia mais com o pensamento e com o projeto que desvia para as classes abastadas todos os ganhos do país, todo o crescimento que eventualmente conquistemos.

Não queremos dizer com isso que eles escolheram livremente esse caminho, foi o que lhes restou. O mais grave é que a ninguém no momento está aberta outra possibilidade se não conseguirmos melhorar fortemente a nossa comunicação.

O fator tributário na desigualdade

Nesse ponto vale mudar um pouco o rumo da prosa para lembrar que apenas o trabalho gera riqueza. Contudo, como é natural, as ideologias e concepções teóricas são como impressão digital, ou seja, podem sim ser muito parecidas, mas jamais iguais.

Se opusermos utopia e pragmatismo, eu, Sálvio, vou estar mais próximo da uto pia que o Leonardo, assim como ele estará mais próximo do pragmatismo que eu.

Trata-se de algo natural e enriquecedor, mesmo por que não há verdade absoluta em nenhum campo real, apenas em campos ideais, como o campo matemático.

Se na absoluta maioria de temas do livro isso em nada interfere, esse subitem de capítulo traz uma diferença que se faz necessário pontuar.

Por exemplo, na minha visão, concordando com o exemplo conhecido, um tronco de madeira nobre largado na beira de uma estrada é no máximo um estorvo. Mas se trabalhado pode valer, e muito. Assim também o ouro que, enquanto está no ventre da terra ou no leito do rio, não representa riqueza alguma. Só o trabalho, nesse caso do garimpo, lhe empresta valor. Por isso entendo que só o trabalho gera riqueza!

Ainda na minha visão pessoal, que naturalmente acompanha a de muitos outros também, nunca de todos, praticamente só o trabalhador paga impostos. Uma empresa, exceto se estiver extremamente mal gerida, não paga absolutamente um centavo de imposto. Ela repassa tudo que teria de pagar para o consumidor de seus produtos e serviços. E com os bancos acontece o mesmo.

Não é por outra razão que temos nossa tributação centrada praticamente só no consumo, muito pouco na renda (o lucro que é recolhido da empresa para a conta do empresário é isento de imposto. Precisa exemplo mais contundente?) e nada ou quase nada no capital. Ao par disso temos um dos menores impostos sobre herança do mundo, mantendo nas famílias indefinidamente a riqueza gerada muitas vezes há séculos, inclusive por mão escrava.

Deste estado de coisas decorre que o trabalhador paga imposto sobre cem por cento de sua renda, já que toda ela é destinada ao consumo de subsistência, que é inescapável. Já o rico destina uma parte muito pequena para o consumo, a maior parte ele investe, com imposto inexistente ou muito pequeno.

Imposto não é valor absoluto, mas um valor relativo, um naco, uma parte de algo, no caso da renda. Nesse sentido cloncuo que o pobre paga muito mais imposto que o rico e, também nesse sentido, ou seja, considerando a proporcionalidade, quanto mais rico menos paga.

Já na visão e palavras do Leonardo, as empresas pagam impostos, e é por isso que investem tanto na propaganda contra impostos. Claro que todos impostos são repassados aos produtos, mas na inexistência de impostos, os mecanismos de mercado agiriam no sentido de elevar o preço do produto e, o que fora retirado de impostos, seria trazido de volta como preço do produto, elevando a lucratividade das empresas e impedindo a redistribuição de renda.

Um exemplo são os preços dos produtos nas lojas localizadas em aeroportos internacionais, que, por não pagarem impostos, poderiam oferecer um produto eletrônico por cerca de 60% do valor praticado no mercado interno. Apesar dessa isenção tributária, o que vemos na prática é um desconto de 5 a 10%, simplesmente pelo fato de que o produto tem um preço estipulado pela disposição do consumidor em pagar. Na prática, um telefone celular de 1.000 reais, que poderia ser vendido por 600 do Duty-free, é vendido por 950, e não tem impostos!

Empresas, como movimentam maiores volumes de dinheiro, pagam mais impostos, ainda que admita o imposto centrado no consumo. Na prática todo o mercado se regula pela lei da oferta e da procura, o que significa, por exemplo, que ao aceitar uma contratação para um cargo em uma empresa, um trabalhador não pensa no salário bruto, mas no líquido, assim, se uma empresa desembolsa 100 mil reais por ano com um salário, mas esse trabalhador só leva 50 mil reais pra casa por causa dos impostos, este aceitaria trabalhar por 50 mil em um cenário sem impostos. Por exemplo, se a empresa conseguir lograr êxito em sua pressão pela redução do Imposto de Renda, ela conseguirá com isso contratar trabalhadores por menor preço.

Além disso é preciso levar em conta os impostos sobre a renda da pessoa jurídica, das contribuições sociais e demais tributos que são pagos pelas empresas em volumes astronômicos. A visão de que no final das contas apenas o trabalhador gera riqueza, e que ele é o único que paga impostos, apesar de sustentada pelo paradigma marxista, é uma visão muito perigosa, pois pode levar o trabalhador a lutar contra os impostos, que inclusive neste livro defendemos como uma forma de redistribuição de renda, seja de forma direta, através de bolsas e auxílios, ou de forma indireta através de serviços públicos.

O fator guerra contra a fome

Ao assumir a presidência, o primeiro programa do governo Lula buscou formas de dar acesso ao consumo. A partir disso fica fácil entender o porquê da pressão que sofremos para não distribuirmos a renda, para concentrarmos o PIB na mão de muito poucos. *Porque a má distribuição de renda retém o consumo interno, disponibilizando e barateando ao estrangeiro os nossos produtos.* Essa é também a lógica que embasa a necessidade da ampliação da globalização. Mas esse é outro assunto.

É esse cenário que explica a necessidade que a nossa metrópole, os Estados Unidos, tiveram de cancelar o Lula na primeira oportunidade.

E eles trabalharam muito por isso, seja na espionagem, seja no submundo das redes sociais e da *deep web*, mas principalmente pelo treinamento e cooptação de juízes brasileiros, a quem ofereceram cursos, pagaram passagens e atraíram a seu país, como, inclusive, revelado pelo *Wikileaks*.

Tudo isso não seria suficiente, se não tivéssemos um José Serra, que, como também revelado pelo *Wikileaks*, já havia prometido a venda do pré-sal – não por acaso, essa foi uma das primeiras ações do governo Temer –; se não tivéssemos um Aécio pra pedir a recontagem de votos e declarar guerra ao governo; se não tivéssemos um FHC coordenando tudo nos bastidores e mantendo os contatos com as pessoas.

Era e é preciso cancelar o Lula, não por ele, mas pra poder cancelar a distribuição de renda (que foi a ferramenta que Lula usou para fazer disparar o país como nunca), para com esse freio cancelar o que realmente interessa e que é o fim para qual usam todos os meios: cancelar o consumo.

A questão nem é moral, o problema não é o horror que eles têm a pobres. É que eles só podem frear o consumo dos pobres, inclusive porque conter o consumo dos ricos é inviável. Conter o consumo dos pobres, além de viável, é relativamente fácil. Basta desmobilizá-los. Como? Pela hipnose via *Whatsapp*, via redes sociais, via mídia corporativa.

Hipnotizada como gado pelo aboio, a população sozinha faz mal a si mesma. Já, se for acordada desse sonho nefasto, vai se organizar, lutar e conquistar, como já vimos na história.

E quem é que no Brasil tem maior poder para levantar as massas? Quem é o brasileiro capaz de entender e de falar diretamente com esse povo, senão Luiz Inácio Lula da Silva? Por isso os esforços para cancelá-lo não cessam.

Mas quem quer cancelar o Lula procura nomes dispostos a tal, a cancelar a distribuição de renda no país, também entre os nossos. E é fácil sucumbir a esse canto da sereia.

Não seria o momento de refletirmos sobre como permitimos e talvez até ensejamos esse racha? Será que soubemos valorizar os agentes políticos da esquerda que ora se desgarram ideologicamente, pelo menos em parte? Será que nos basta agora simplesmente cancelá-los?

Não, definitivamente, não!

Não temos respostas conclusivas para certas perguntas, mas achamos que vale o questionamento, inclusive se não seria o caso de trabalharmos pela reaproximação.

Por outro lado, enquanto isso, novas Tábatas (atores políticos que ascendem com votos de progressistas, mas que depois legislam pelo viés de liberal, discursando e votando contra reformas que visam a equidade e a favor de reformas que retiram direitos) vão surgindo, gestadas em fundações financiadas por bilionários e grandes corporações, mas com discurso que as eleja sem dividir os votos que o sistema tem. Ao contrário, elas tiram votos da ala à qual farão oposição. Trata-se de autênticos lobos em pele de cordeiro, de pessoas sempre dispostas a agir de maneira contrária à imagem que criam, confundindo o eleitor e embaralhando o jogo político.

Claro que existem vários outros fatores atuando. Um deles é que, enquanto o povo tender a ver o político como inimigo, atores como Luciano Hang e Flávio Rocha sobram como amigos, assim como outros lobos em pele de cordeiro, como os banqueiros. Os representantes políticos, por seu turno, tendem mais a ser como bambus, que vergam com o vento. De olho no voto, buscam entregar o que a plateia quer ver. É por isso que muitos acabam se curvando ao oportunismo e ao imediatismo. A partir do momento em que for do bem ser "de esquerda", muitos dos políticos que atualmente atuam do outro lado mudarão num piscar de olhos.

Temos hoje a esquerda que luta pela distribuição de renda e o consequente aumento de consumo, mas também uma esquerda de balestra, que atira de longe, que finge, mas que é covarde e que atende ao desejo mais imediato. Daí surge a tortuosidade do discurso. É preciso que entendamos como funciona o jogo, para o jogarmos com chances reais. De nada vale curtirmos raiva ou expelirmos xingamentos.

Pode ser bem mais difícil e complicado, mas é preciso abandonar a área de conforto da bolha, sairmos da caserna e enfrentarmos a batalha com tudo que ela oferece de perigo e de incerteza.

Essa nova esquerda que luta pela permanência da desigualdade se parece, na realidade, ainda que minimamente, com uma assim chamada "direita"; ela surfa nessa onda. Só que a "direita" não engana ninguém, faz o que promete. Já essa esquerda de balestra não terá nada a oferecer a essa gente.

É preciso ter em mente que todo o trabalho para o impedimento de Lula nas eleições de 2022 atende em primeiro lugar a essa necessidade estrangeira de aumentar nossa desigualdade, diminuindo assim nosso consumo, em última análise, transferindo o consumo de cá (onde ficamos carentes dele) para lá (onde se fartam cada vez com menor esforço, pelo barateamento gerado pela abundância).

Isso explica o porquê de os liberais concordarem com programas de renda mínima. Em realidade, a depender do modo de implementação de programas assim, o resultado é uma desmobilização dos estratos que estão à margem do mercado de consumo. Ao assegurar a sobrevivência desses estratos, ela os torna cativos, conformados com esse mínimo, assim perpetuando seu alijamento do consumo.

Os lobos em pele de cordeiro não estão pra brincadeira, são muito preparados.

Queremos fechar esse capítulo com uma mensagem bem clara: precisamos escolher entre dois projetos: um centrado na distribuição de renda, que desenvolve o país, e outro centrado na concentração de renda, com a precarização do trabalho e a diminuição do consumo interno, que desenvolve a metrópole, que hoje são os Estados Unidos da América.

O primeiro é representado por aqueles que não medem esforços na defesa da redistribuição da renda, em projetos sociais, investimentos em educação e foco no desenvolvimento da indústria nacional.

Já o segundo pode ser representado tanto por aqueles que se auto definem "direita brasileira" e que, embora se proclamem nacionalistas, defendem que sejamos explorados como colônia agrícola, quanto também por uma parte da esquerda, a "esquerda Tábata". Esse espectro da esquerda combate de forma ferrenha os discursos homofóbicos e ultraconservadores proferidos pelo outro lado, mas é incapaz de mencionar a participação dos EUA nos problemas econômicos que vivemos hoje, assim como não dá um pio sobre pautas que produziriam crescimento industrial, emprego, renda e, por conseguinte, consumo. Quando é preciso pronunciar-se ou atuar nesses temas, esse quadrante o faz sempre em prejuízo dos trabalhadores e da parcela mais vulnerável da sociedade, como bem mostrou a votação da reforma da previdência que vimos recentemente.

A sorte está lançada.

Pobre: um referente sem objeto

Existem as chamadas candidaturas didáticas, que visam apenas o espaço de candidato para difundir uma ideia. Existem também candidaturas que visam apenas eleições futuras, como por exemplo, um iniciante na política que se candidata a deputado federal, ciente de que não tem chances de êxito eleitoral, mas que visa a exposição para então catapultar uma futura candidatura a um cargo menor, como a deputado estadual ou, ainda mais frequentemente, a vereador de um município.

Ambas as candidaturas, a didática e a, por assim dizer, preparatória, existem e é lídimo que existam. Representam aspectos e etapas de uma Comunicação Política planejada. Valem um aprofundamento.

Nosso intuito aqui, contudo, é falar das candidaturas que visam o que mais importa, que é vencer, tomar posse e exercer com esse apoio popular o mandato.

A política funciona por estratégia, a política requer estratégia. De nada adianta fazer discurso bonito e consequente, se se é derrotado. De nada adianta planejar ações efetivas e, se for o candidato, acabar derrotado. Simplesmente porque aí não se vai conseguir executar projeto algum.

Na política não tem vacância no poder, tampouco há vaga para dois prefeitos.

Daí o super desafio, por exemplo, de um candidato chegar numa cidade que já é desenvolvida com o discurso de sem-teto, com o discurso da distribuição de renda, e de defesa do pobre.

Há cidades ricas e desenvolvidas no Brasil, mas todas muito desiguais, isso é fato. Quando quem mora numa favela, mas tem um barracão, ouve que o pobre vai ser atendido, que o sem-teto merece um lugar, ele acha que vai perder esse barracão para um sem-teto.

Da mesma maneira, um operário que tem um automóvel de 20 anos de uso, pensa que pobre é quem tem só uma pequena motocicleta; esse acha que pobre é quem anda de ônibus; e quem anda de ônibus acha que pobre é quem mora na rua; e mesmo pra quem mora na rua ainda há uma hierarquia na pobreza.

O que acontece é que houve um achincalhamento do termo "pobre". Um exemplo acabado disso foi o personagem Caco Antibes, do programa de humor que a Globo apresentava com extremo sucesso todos os domingos por vários anos. Claro que se trata apenas de um exemplo, mas existiu um contexto para que isso se desse. E o contexto foi esse ambiente de repulsa à imagem do pobre que o personagem Caco Antibes personificava. O humor, aliás, residia precisamente no paradoxo de ser o personagem um rebento de uma classe média depauperada que se recusava a admitir essa condição. O paradoxo emerge precisamente porque faz parte do discurso capitalista incutir temor ao pobre e à pobreza nas pessoas.

Quem tiver um pouco mais de idade há de lembrar que os portadores da síndrome de down eram chamados de "excepcionais" até o final dos anos 70. Isso porque os nomes que lhe davam antes, como mongoloides e outros, ficaram estigmatizados.

O problema é que, como o preconceito que existia era contra os portadores em si, o nome que os representasse viraria chiste mais cedo ou mais tarde. Foi o que aconteceu, e, com o tempo, também passou a ser feio se referir a eles como excepcionais. Eles, então, passaram a ser chamados de "especiais".

Não tardou para que esse nome também fosse estigmatizado e aí viraram "portadores de necessidades especiais" e assim continuamente, num processo circular de tentar trocar o nome, ao invés de enfrentar o preconceito. Trata-se de um exemplo que mostra que o sempre recomendável e necessário politicamente correto também tem suas armadilhas.

Então, com a ascensão desenfreada do liberalismo no Brasil desde o início da década de 90, houve um crescente preconceito contra o pobre e contra a pobreza. Trata-se de algo lamentável, sem a menor dúvida. Mas uma candidatura não pode simplesmente fechar os olhos para os fatos, se realmente quer prosperar.

A política, já se disse, e muito bem, é como as nuvens do céu. Você olha e estão de uma maneira, mas, às vezes, quinze minutos depois estão totalmente diferentes. A mudança dos ventos na política se dá a partir de tantos vetores que muitas vezes o tempo necessário para tentar entender o movimento é maior que o necessário para tudo mudar novamente. Por isso fazer previsões é sempre piso escorregadio e quase certo desastre.

Isso não nos impede, contudo, de procurar fazer uma análise sopesando as variáveis que temos para prever o resultado futuro. Nesse sentido, parece que um candidato com discurso mais voltado à realidade da metrópole teria mais chance que aquele que copia discursos de uma realidade distante.

No Brasil, o discurso que funciona para uma cidade do Nordeste, ainda aguardando fornecimento de água e com pouca estrutura de energia e transporte, não é o mesmo discurso que encanta pessoas de um centro urbano onde aqueles problemas já foram superados e a sede por conquista muitas vezes é substituída pelo medo de se perder o pouco que se tem.

Mas, claro, são inúmeros os vetores que determinam os resultados das urnas. Aqui tão-somente examinamos um deles.

Há candidatos de esquerda nessa eleição de 2020 com nomes enormes, nacionais e, naturalmente, nesse momento, polarizam a atenção. Mas a campanha é longa e quem vota são os eleitores locais. Jamais nos aventuraríamos em futurismos e sabemos o quanto é natural que mudanças drásticas aconteçam durante o desenrolar de um pleito que disputa um orçamento dessa magnitude.

Nossa proposta aqui é fazer um debate da melhor estratégia, o melhor direcionamento da comunicação que a esquerda deve realizar para conquistar os cargos e, assim, poder pôr em prática sua ideologia, que é a que entendemos que privilegia mais o maior número de pessoas.

E é óbvio que a esquerda não pretende desalojar ninguém de seu barraco, mas sim ocupar os milhares de imóveis vazios. Essa proposta não é ilegal, ao contrário, são os vazios urbanos que ferem o princípio constitucional de fim social da propriedade, imobiliária e até não imobiliária.

Vale lembrar nesse contexto que, numa cidade excludente, a população menos favorecida vai sendo expulsa cada vez mais para bolsões mais alijados da cidade, em um processo chamado gentrificação. Com esse processo, que redunda na precarização, e mesmo na falta da habitação, o tempo de transporte diário entre a casa e o trabalho só faz aumentar e encarecer, fomentando com isso o apelo por um transporte mais digno e mais barato.

Trata-se de um momento complicado para opinar, com o processo eleitoral em curso. Vale, contudo, alertar mais uma vez que não é estratégico que o Partido dos Trabalhadores, por exemplo, ignore a realidade atual das metrópoles apegando-se tão-somente à atuação imediata em favor de alguma candidatura. Tampouco é virtuoso, do ponto de vista da comunicação estratégica, ignorar que o discurso radical assusta parte do povo.

Alguém pode nos obstar o argumento dizendo que o discurso da esquerda pode mudar, mas é preciso entender que o que ela falou até hoje não vai ser apagado, e acresce que haverá opositores para relembrar reiteradamente as falas menos favoráveis e mais radicais.

O mesmo radicalismo que conquista a nós, parceiros nesse texto, e que, por certo, conquista a ti, um de nossos seis leitores (se tanto!) é exatamente o pensamento que está hoje cancelado na cabeça do eleitorado.

Quem mora em uma unidade financiada do Minha Casa Minha Vida já se vê como classe média, não se entende como pobre. Pobre é uma palavra proibida na política hoje. Não existe mais pobre no imaginário do eleitorado, mas o PT continua insistindo.

Há um problema na classificação que vale uma digressão: A expressão *classe média* surgiu na Europa, durante a implementação da política de bem-estar social desenvolvida lá no pós-guerra. Foi uma política que a elite local se viu obrigada a adotar para evitar que fosse vítima de uma revolução social, como havia acontecido na Rússia. Nesse momento era chamada classe média a que tinha uma renda intermediária, média portanto. Uma questão matemática tão-somente.

Com o tempo, principalmente nestes trópicos e nos países em desenvolvimento em geral, passou-se a chamar de classe média quem tinha o dobro da renda familiar média... depois o triplo, e assim por diante, a ponto de hoje ficar difícil dizer quem pertence realmente à classe média quando somos confrontados com o termo. Mas pode-se afirmar com segurança que o conteúdo que vem à mente do falante é de alguém, na verdade, bem acima da média.

E num país desigual como o nosso é muito fácil se sentir assim.

Pelos padrões de renda atribuídos à classe média atual, 95% da população brasileira é pobre. Mas, contraditoriamente, quando ouve a palavra pobre, 95% das pessoas tendem a pensar em alguém que está em maior dificuldade que elas, e quase nunca em si mesmas.

Uma boa estratégia de comunicação precisa levar em conta a grande rejeição ao termo *pobre*, levar em conta que, assim como o decadente Caco Antibes, ao ouvir a palavra *pobre* as pessoas imediatamente pensam em algum amigo mais pobre, quase nunca em si mesma.

No Brasil temos muitas profissões que são pouco valorizadas e mal remuneradas, uma delas é a de ajudante da construção civil, seja o ajudante de pedreiro, ajudante de eletricista etc. Um profissional desses, se não for viciado em drogas e não tiver maiores problemas – até porque normalmente a esposa também trabalha e a família se beneficiou das políticas de inclusão do PT – hoje tem casa própria. Por isso, quando ele escuta a palavra *pobre*, ele não pensa em si como fazendo parte dos pobres. Afinal, tem um salário fixo, a esposa trabalha na limpeza de uma escola bacana. E, além do mais, ele tem um carro ano 2000, e a casa vai quitar daqui a duas ou três dezenas de anos ou até menos... pobre é o colega que trabalha com ele e não tem isso.

Mas o colega tem uma motoquinha para ir trabalhar e acaba de alugar uma casa que tem até repartição e aí, quando ouve a palavra *pobre*, pensa naquele cara que tá dormindo na rua...

Mesmo morando na rua, alguns têm o domínio de alguma esquina, um lugar privilegiado no viaduto pra dormir (com colchão e tudo). Para esses, a palavra *pobre* muitas vezes remete a outro, em condição ainda mais precarizada. Enfim, é cada vez mais raro no Brasil alguém referir-se a si mesmo como pobre, principalmente nas faixas etárias mais jovens.

Conosco mesmo coisas similares acontecem. Claro que isso é pessoal, idiossincrático, e, se estamos na casa de um primo rico, até nos sentimos pobres, ok. Mas tendemos a compensar pensando nos primos pobres, e aí voltamos a nos sentirmos privilegiados.

Então, para o êxito na maioria dos grandes centros urbanos do Brasil, a esquerda como um todo terá necessariamente de recalibrar o velho discurso, mesmo que para realizar os mesmos fins. É mister que a comunicação seja atualizada.

E a escolha do candidato no qual vai se depositar toda a energia da militância deve levar em conta os aspectos pragmáticos. Ninguém vive só de amor, por um lado, mas por outro, o eleitor vota muito mais com a alma que com a reflexão e análise.

Os liberais têm dado reiteradas demonstrações de ter entendido essa parte, e colhe os louros dessa compreensão governando impérios mundiais, como os Estados Unidos. E impérios regionais, como o Brasil.

A hora é de humildade e de técnica. A hora é de fazer a coisa certa, desde antes do registro das candidaturas até o final dos mandatos... que hão de vir, que virão! Oxalá!

A Guerra e a Guerra da Comunicação

> *perdemos por estarmos*
> *na idade da pedra*
> *em termos de comunicação!*
> (Arthur Sabatini, inscrito no canal Stoppa)

A história da humanidade é também a história da guerra. O livro de literatura mais antigo do ocidente é também um dos mais lidos em todos os tempos, a *Ilíada* de Homero. E trata de uma guerra, a Guerra de Tróia. Aliás de duas guerras, porque no fundo é focado numa guerra interna, numa guerra intestina, de grego contra grego, que disputam poder e disputam reconhecimento entre os seus. Quando estudamos história logo percebemos que o que formou os povos e determinou culturas e fronteiras foi sempre a famigerada guerra.

Na história humana existem conhecimentos que se acumulam, criando novas teorias e novas verdades, como no âmbito da ciência, principalmente. E há outros em que as coisas vão mudando, mas sem, contudo, se aprimorar, como é o caso das artes e da filosofia.

Podemos gostar mais do Michelangelo ou mais do Van Gogh, mas não podemos dizer que um é superior ao outro, apenas que pertencem a culturas diferentes, lugares diferentes, épocas diferentes etc. e que ambos se valem de estéticas diferentes, ligadas ao contexto que viveram. Na Filosofia é o mesmo, podemos dizer que Descartes é muito diferente de Platão, mas dizer que sua filosofia seja superior seria temerário, sem dúvida. Ou apenas apontaria uma preferência pessoal.

Com a guerra não acontece o que acontece com a Arte e com a Filosofia, com a guerra acontece algo mais próximo ao que acontece com a ciência, ou seja, está em contínua evolução de métodos, estratégias, táticas, instrumentos e resultados.

Na Grécia antiga a guerra se fazia com lança, escudo, caneleiras e malhas metálicas, numa guerra homem-a-homem, e a estratégia era mais ligada ao posicionamento dinâmico das tropas durante a batalha. Mas aí foi desenvolvida a falange hoplita, na qual um determinado número de soldados, em geral cem, atacavam em um grupo cerrado, protegendo-se mutuamente e agindo em conjunto. Isso desequilibrou por demais, a ponto de ser determinante inclusive para que a Grécia virasse a maior potência da época.

Mais à frente, houve a agregação de soldados mercenários, que lutavam a soldo (daí a origem da palavra soldado). Isso constituiu-se em um expediente capaz de mudar completamente o equilíbrio de forças.

Na sequência tivemos vários avanços, ou de equipamentos, como o canhão, ou de estratégia, como a desenvolvida por Napoleão. E o equilíbrio não é tão natural como possa parecer. Por exemplo, na Primeira Guerra Mundial tivemos pela primeira vez o uso dos aviões, assim como de artefatos químicos e biológicos devastadores. Mas na Segunda Guerra mundial tivemos na Polônia a tentativa de obstar os tanques de Hitler por meio da cavalaria polonesa. O massacre foi geral, claro.

Aliás, a Segunda Guerra teve seu ponto final firmado por uma nova tecnologia, a bomba atômica.

Hiroshima e Nagasaki foram arrasadas com um único petardo cada, pondo de joelhos o império japonês, último baluarte do Eixo, que ainda resistia, mesmo após a tomada de Berlim pelos soviéticos.

Mas nosso objetivo aqui não é historiar a guerra, e sim entender como ela se dá nos dias de hoje.

Logo depois da Segunda Guerra os vencedores se reuniram para dividir o espólio. Malgrado a guerra tenha sido decidida pela ação russa, seja em Leningrado, seja pela tomada de Berlim, a aliança entre os ingleses e americanos se impôs de tal forma que acabaram dividindo a Alemanha em duas. Berlim mesma foi dividida em duas. E, dessa tensão, foi surgindo, e cada vez mais se intensificando um modelo totalmente novo de guerra então, a Guerra Fria: sem bombas, mas com muita pressão política e muita espionagem de lado a lado.

Com a morte de Stalin, em 1951, a União soviética inaugura um período que combinava a continuidade da expansão com crises de abastecimento. Isso acabou culminando em um atraso no desenvolvimento tecnológico e no início dos anos 70, marcados pelas primeiras crises de abastecimento de petróleo, já estava claro que o eixo ocidental havia se imposto. No final dos anos 80 o muro de Berlim caiu, e a União Soviética se dissolveu, inaugurando um novo tempo. Mas que tempo?

O tempo da potência hegemônica. Sem nenhum concorrente direto, os Estados Unidos foram perdendo o pejo e foram apertando todos os países do mundo com a imposição de sua cultura, seu modelo de governo e suas regras de liberalismo comercial. Controlando regimes e instituições internacionais e com isso avançando para uma posição de juízes do mundo. Juízes parcialíssimos, naturalmente.

Este livro mesmo entra em gráfica com Julian Assange, fundador do Wikileaks sendo julgado em Londres, mas para atender um desejo americano. A própria Suécia fez a primeira parte desse serviço sujo ao temido império.

Findada a União Soviética, a Rússia viu dissolver-se sua economia, ainda que tenha conseguido manter seu potencial bélico, calcado nas ogivas nucleares. Mas a história segue seu curso. A Rússia se reequilibrou e começou a assustar os americanos e aí o improvável aconteceu. A China, governada por um partido comunista, entrou em um ciclo econômico virtuoso, e sucessivos crescimentos anuais de PIB a colocaram como ameaça real à supremacia americana. Há vários estudos que apontam que dentro de poucos anos a China se tornará o país mais rico do mundo.

Se a Rússia não se desarmou, a China se armou espetacularmente, e, como naturais aliadas, inibem os arroubos bélicos americanos, por mais bases militares que tenham espalhadas mundo afora.

Neste contexto, em que a guerra fria havia acabado e a guerra quente se tornou uma aposta muito incerta, os americanos encontraram maneiras diferentes de conseguir dos países o que em geral só se consegue por meio da força. A estas novas maneiras deu-se os nomes de guerra híbrida e guerra não convencional. Esse é o assunto do qual realmente queremos tratar. Viemos da mítica Guerra de Tróia até aqui unicamente visando mostrar o quanto as guerras mudam.

A guerra não-convencional, é aquela cujo ataque se dá valendo-se de ferramentas que não visam aniquilar ou matar diretamente o inimigo, visam tão-somente desestabilizar regimes. Isso porque sabem que sem o povo minimamente unido e um governo forte nenhuma nação sustenta sua autonomia, tampouco sua soberania.

Bin Laden, Saddam Hussein e Muammar al-Gaddafi são exemplos de ex- aliados que passaram a ser demonizados pela guerra híbrida americana e acabaram sucumbindo. Se não eram o que se poderia chamar de vestais, em absoluto eram os monstros que a propaganda americana criou.

É que a guerra não-convencional se assenta em dois pilares, a alta tecnologia em rede e o profundo conhecimento da mente humana.

Se a guerra convencional visa corpos, elimina vidas, a guerra não convencional visa almas, mata sonhos e ideologias.

O meio utilizado não tem nada de novo não, vale-se da milenar técnica da hipnose. Apenas que agora, ao invés de ser aplicada por um guru a uma pessoa que quis submeter-se, é aplicada de forma dissimulada, por algoritmos, e de maneira que nem o hipnotizado se dá conta. Vale lembrar que, como dizem os hipnólogos que se multiplicaram nos últimos anos na Internet, a hipnose depende exclusivamente de o hipnotizado baixar seu senso crítico.

Com a evolução da neurociência e a utilização de altas tecnologias, como sofisticados algoritmos em redes sociais, a partir de um único curtir é possível prever com quase oitenta por cento de acerto o sexo de uma pessoa. Com uma dúzia de cliques dá pra conhecer melhor a pessoa que um próprio irmão dela. Com centenas de cliques dá pra conhecer melhor a pessoa do que ela mesma.

Os algoritmos são criados para fazer o trabalho de maneira personalizada, o convencimento é facilitado pelo conhecimento prévio que se tem da pessoa a ser convencida. Conhecendo seus maiores desejos e seus maiores medos, facilmente se fala diretamente com o subconsciente dessa pessoa, onde as informações se instalam sem qualquer filtro.

Nos seus primeiros dez anos de carreira, Freud trabalhou, ao lado de Charcot, seu mestre, usando unicamente a hipnose. Sua invenção, a psicanálise, resulta do abandono da hipnose em si, colocando o sujeito falando, deitado em um divã em uma sala pouco iluminada, exatamente para que se produza uma semi-hipnose, na qual há uma "conversa", um elo, entre o consciente e o inconsciente. Algo similar ao que nos acontece quando estamos sentados ante uma tela de computador, ou quando manuseamos demoradamente o celular.

Em todos tipos modernos de guerra objetiva-se a conquista política do vencido. Na guerra convencional tal conquista é obtida através do derramamento de sangue, que costuma cessar com a derrubada do líder político.

Na guerra não convencional o alvo é o povo a ser conquistado, mais precisamente a ideologia que sustenta o laço entre o povo e o governo contrário aos interesses do conquistador. Os exércitos movimentam atacando tal ideologia e transformando o povo em aliado do próprio algoz, sem que esse povo perceba. É a isso que ora assistimos no Brasil, caro camarada.

A análise mais superficial vai mostrar cabalmente como desde que fomos ouvidos pela espionagem americana passamos a agir contra os interesses do país e, pior, contra os nossos próprios interesses, sejam individuais ou coletivos.

Uma vez que nos ouviram (e, diga-se, grampearam até o telefone presidencial) traçaram um plano de tomada das nossas riquezas. Mas ao invés de nos invadir militarmente e nos vencer pela força (algo que eles poderiam fazer, mas com um custo extremamente mais elevado de dinheiro, e danos imprevisíveis em sua reputação internacional), apenas nos convenceram a enfraquecer nossa democracia, a nos despedirmos dos nossos direitos, a vendermos não só os ovos de ouro, mas também nossas galinhas, o galinheiro e a fazenda inteira...

Nos convenceram a tal ponto que muitos de nós bate palmas por termos nos "livrado" do pré-sal e da maior parte da Petrobras, de termos perdido as empreiteiras que nos empregavam e internalizavam divisas por meio das obras que realizavam mundo a fora. E já antevemos brasileiros batendo palmas para a venda do Banco do Brasil.

Mas muito mais que isso, muitos de nós atirou na cabeça de nossa própria velhice, já que agora vamos amargar pouca ou nenhuma aposentadoria. Atiramos no coração de nossos próprios direitos trabalhistas. Agimos como zumbis teleguiados, delegamos aos *think tanks*, *youtubers* e outros formadores de opinião a nossa responsabilidade de pensar, e nessa condição acabamos robóticos, proferindo com empáfia frases feitas e repetindo a opinião publicada como se nossa fosse.

Não estamos sob bombas quentes, mas estamos sendo bombardeados, estamos em guerra, e a estamos perdendo covardemente...

A guerra não convencional é muito mais letal e destrói muito mais. Apenas que, como é silenciosa, não a ouvimos. Como é dissimulada, não a vemos. Como parece que não é conosco, não nos importamos com ela.

Apenas sucumbimos. Até quando? Até que consigamos soerguer nossa sociedade do seu sono profundo, porque o inimigo não para, nem nunca se sacia. Talvez seja a hora de, parodiando John Lennon, entoar: Tudo que tenho a pedir é que você dê uma chance ao cérebro! Se quiser cantar: *"Just give brain a chance!"*

A primeira ação de guerra, nesse modelo, foi o desenvolvimento de redes de influência, desde sempre objetivando a derrubada do nosso governo popular. Isso foi feito aqui com uma facilidade de enrubescer a face de qualquer pessoa digna.

A segunda ação se volta contra as instituições, sendo a maior delas no nosso caso exatamente a presidência da república e a segunda maior o sistema de promotoria e justiça. A primeira foi fulminada, a segunda abduzida e posta a serviço da mídia reacionária por si e sempre engajada em movimentos que defendam os interesses dos mais abastados e poderosos. Pois bem, esse caminho foi trilhado como uma facilidade inacreditável aqui nesse Pindorama, que era o nome que os índios davam ao que mais se assemelha ao que hoje entendemos por Brasil.

As guerras mudaram muito, como vimos. Mas o objetivo final de todas elas é sempre o mesmo: avançar sobre o espólio, sobre as riquezas do vencido. Aqui começou-se pela venda de terras a estrangeiros e, em médio prazo, nem a commodity soja vamos vender, porque nosso solo, e, portanto, nossa água e nosso sol já serão deles.

Assim com o subsolo que, acredite-se, é explorado e levado, e na maioria dos casos sem pagar qualquer imposto. Nossa soberania não é só aviltada, é anulada por meio desses expedientes que em conjunto representam uma guerra sanguinolenta contra nós e contra nossos descendentes.

Muito bem, mas não é só ao Brasil que essa situação é perniciosa. Ver os Estados Unidos avançar sobre nós como estão, deveria mobilizar outros países também, mormente a China e a Rússia, que têm reais interesses em negócios com o nosso país.

Contudo, a mal nosso, nem nós, nem a China nem a Rússia saibamos combater nessa guerra, e com isso temos sofrido derrotas infindas.

A China e a Rússia investem valores astronômicos em aviões supersônicos, ogivas nucleares, mísseis cada vez de maior alcance e potência, mas nada investem nessa guerra de informações. É quase inacreditável, mas é a verdade ululante.

E, importa destacar, as perdas deles não se restringem à perda representada pelo avanço do poderio do inimigo, mas também do quanto eles perdem conosco, com o Brasil. Mas não movem um dedo nessa guerra que tem destruído a tantos.

Os Estados Unidos nunca pararam de investir em equipamentos militares de ponta. Sabem da importância deles caso sejam necessários, mas se utilizam hoje da conquista ideológica de todo o povo de um país através do estado da arte e da técnica em comunicação imbecilizante, que representa um expediente bélico infinitamente mais barato (malgrado os bilhões investidos, que nada são ante as centenas de bilhões gastos em armamentos) e extremamente mais eficaz.

O processo, como se viu, envolve desestabilização política e desordem institucional, mas não destrói materialmente nada, afinal trata-se de materiais dos quais eles terão parte grande.

A razão pela qual a Rússia e a China não reagem é um dilema, uma incógnita. A resposta que explique o porquê disso tem valor incomensurável. Seria tão-somente por uma questão ética? Improvável! Por uma questão cultural? Seria uma explicação muito frágil para justificar tamanha omissão em eventos que implicam diretamente em seus interesses econômicos, inclusive, interesses estratégicos como a segurança alimentar.

O que faz os Estados Unidos tem muito a ver com o tema deste livro, trata-se de Comunicação Política, ainda que aplicada de maneira extremamente sórdida.

*

A opção por investir em estratégia, em inteligência, em compreensão dos melindres do subconsciente humano, bem como das forças que fazem agir a sociedade tem sido uma preocupação anglo-saxã, e não só estadunidense. As ciências sociais foram criadas a partir da ideia de que para a Inglaterra seria muito mais barato estudar a cultura de um país e dominar esse país através da cultura, do que ficar mandando exércitos para destruí-lo. Sem contar a grande contenção de risco aí envolvido.

Não foi por outro meio que se conseguiu dividir todo o Oriente Médio, por se tratar de área de interesse devido as grandes reservas de petróleo.

Palocci disse com todas as letras que a descoberta do pré-sal pareceu sorte, mas foi o azar do Brasil. Precisa ser mais claro?

Bastou, para tanto, que nos dividissem entre "direita" e "esquerda". Fácil, não é? O que vivemos no Brasil se assemelha com o que tem sido vivido no Oriente Médio.

Não nos deixemos enganar pelas aparências, o fato de os Estados Unidos estarem sendo governados pela assim chamada extrema direita apenas agrava a situação, mas ela foi criada antes, mormente pela ação direta do partido democrata de Barak Obama, por meio de sua Secretária de Estado, Hillary Clinton, valendo-se principalmente da CIA.

Mas também é fato que a extrema direita é tremendamente mais violenta e mais cínica, a ponto de usar a frase falada por ativistas mulçumanos quando cometem ações que na mais das vezes mata a outros, mas também ao próprio agente da ação: Deus acima de tudo, proclamam. Em árabe, naturalmente.

Por outro lado, o império sabe que é muito mais fácil influenciar um povo estúpido, fanático religioso, fanático político. Por isso incentivam esse fanatismo.

O uso da inteligência na guerra não convencional pode ser mais potente e mais deletério e até mais mortal que uma bomba atômica, sem contar que mantém intacto o espólio, a riqueza do vencido, como se disse acima.

Afinal, para que exércitos se o próprio Brasil se entregou para os Estados Unidos? Não há razão para um disparo sequer, mas, lembremos, estamos em guerra, e perdendo as batalhas. Uma a uma. O inimigo avança em anunciadas aproximações sucessivas...

E a guerra de ideias é permanente.

Investimento

Ora, se para lutar uma guerra é necessário investir (a guerra do Paraguai, por exemplo, feita para atender o interesse do então império inglês, nos custou algo como seis PIBs inteiros), para lutar a guerra não convencional não é diferente.

Não foi à toa nem de graça que o inimigo conquistou o monopólio do pensamento dentro do Brasil. Tampouco foi de graça que a absoluta maioria dos veículos de comunicação de grande alcance estiveram e/ou estão alinhados com os Estados Unidos.

O mais evidente seria a China e a Rússia investirem para que houvesse um contraponto, ou mesmo um contra-ataque. Mas eles só investem em armas quentes. E qual a razão disso? Supor que sejam ingênuos não parece producente. Supor que não tenham como investir, tampouco. O certo é que há alguma razão, e investigar essa razão deve estar no centro das preocupações das forças progressistas no Brasil.

Como é mais fácil colonizar e dominar um povo, valendo-se da sua própria cultura!

Seja direta ou indiretamente o governo americano tem financiado a produção de conteúdo ideológico de primeiro nível, o que justifica o fato de a China, que tem sido alvo desse conteúdo não reagir sequer minimamente?

Os Estados investem direta e indiretamente em *think tanqs*, que municiam a mídia pró América, por qual razão a Rússia, que é vítima nesse processo, nada faz?

O processo atual foi iniciado muito antes, apenas que de forma menos afoita, por meio do cinema, da música, enfim, da cultura estadunidense, ou da apresentação do modo de vida norte-americano como o único caminho que leva ao *"american dream"*.

Mas hoje tudo é extremamente mais direto e mais deletério, inclusive contra as próprias potências Rússia e China. Veja que hoje se você ouve a rádio Jovem Pan, quando lá falam do Covid não falam em pandemia não, falam: "vírus chinês". Se você estiver acompanhando no vídeo o programa, vai ver escrito pandemia, coronavirus, COVID-19? Não, vai ler: "vírus chinês", expressão que se mantém na tela durante todas as notícias relacionadas.

Ora, referir-se dessa maneira agride a China, é óbvio. E o objetivo é claramente esse. Por que não há qualquer reação?

Essa reação deveria vir naturalmente..., mas não vem. Então, lideranças, será que se a estimulássemos ela não viria? Se houvesse essa reação, será que o pensamento que adoece grande parte dos brasileiros não poderia ser neutralizado pelo esclarecimento através da oferta da verdade sobre os fatos, não seria esse um processo de redemocratização?

Assistimos dentro do Brasil um financiamento de estímulo de ideologia pró Estados Unidos, um financiamento de cancelamento da China, um financiamento de cancelamento da Rússia, e a Rússia e a China nada financiam, por quê?

Saiu a notícia da vacina russa contra o Covid? Pois a Rede Globo imediatamente contesta a vacina russa. O que leva a mídia (seguida pela máquina de comunicação bolsonarista) a contestar uma vacina, duvidar de antemão da eficiência da vacina em plena pandemia que já matou bem mais de cem mil brasileiros? Novamente, a Rússia vai se calar. Novamente ficaremos sem entender o porquê.

Numa guerra o equilíbrio se dá pelo tamanho idêntico entre as tropas adversárias e a paridade de armas. Agora, se um lado avança de escopeta e o outro lança uma bomba atômica, simplesmente os primeiros vão sucumbir. A questão não é de ética, é de paridade de armas, a China e a Rússia precisam investir também. Cabe aos progressistas, cabe aos democratas, ajudar a viabilizar esse tipo de investimento, na formação de inteligência, e também na estrutura de comunicadores, de formadores de opinião: questão de paridade de armas.

O *The Intercept* (notabilizado por divulgar um outro escândalo político, envolvendo o governo dos EUA) publicou em seu blog uma lista de pessoas que recebiam 25 mil reais cada por mês para falar bem do liberalismo e falar mal do Partido dos Trabalhadores. De onde vêm esses milhões que compunham os 25 mil reais mensais de cada um? Há alguma dúvida? O fato é que essas pessoas estão falando mal da China e da Rússia, enquanto falam bem da cloroquina. Alguém acredita que um Alexandre Garcia fala bem da cloroquina porque pensa que ela funciona? Muito difícil. Mas, mesmo que acreditasse, fica evidente que não fala porque acredita, basta ter olhos de ver.

A quem paga, os algoritmos favorecem de bom grado, sem limites. O Youtube mostra reiteradamente a todos o canal, o faz bombar, atraindo inscritos e mostrando vídeos.

Aos comunicadores que defendem o liberalismo o algoritmo ajuda, naturalmente. Demora nada e eles já têm um milhão de seguidores.

Os comunicadores que apoiam a China e a Rússia e o Brasil, mal conseguem pagar uma boa Internet, e até pra comprar um equipamento mínimo dependem de vaquinha virtual. Já *Nandos Mouras* exibem mais e mais carros importados de centenas de milhares de reais.

Se a guerra convencional exige investimentos, a guerra híbrida, a guerra não convencional, como também é uma guerra, da mesma forma, requer investimentos, requer dinheiro.

Além de ter inculcado no brasileiro a pecha rodriguiana de "vira lata" de quem só valoriza o que vem de fora, notadamente o que vem do chamado primeiro mundo, num processo de contínuo cancelamento do nosso país para os próprios brasileiros, vemos hoje os Estados Unidos promovendo o cancelamento da China e da Rússia no Brasil. E a Rússia e a China não perceberam o que está acontecendo hoje dentro do Brasil? Não é provável e algo precisa ser feito.

É tempo!

O Influenciador: o Jornalista e a Verdade

Não dá pra falar de Comunicação Política sem abordar a disputa hoje travada entre o jornalismo tradicional e os influenciadores digitais, nem sempre com títulos acadêmicos da área.

Recentemente vimos a Anitta sendo massacrada por uma jornalista devido a opinião que a cantora emitiu a respeito do consumo de carne.

Segundo Anitta, o aumento no consumo da carne faz com que tenhamos um uso desproporcional da água. E, como o que os produtores rurais pagam, quando pagam, não corresponde uso de recursos hídricos que fazem, na maioria dos casos acabam beneficiados, ao produzir seu produto "carne" com um insumo que deveria estar uniformemente distribuído na sociedade: "água".

Essa foi basicamente a opinião que Anitta compartilhou.

Enquanto isso Felipe Neto fez uma defesa interessante do compromisso do jornalismo brasileiro com o aprofundamento dos temas e, principalmente, com a verdade.

E ele tem razão. A partir do momento em que um jornalista dá palco para o sensacionalismo, para qualquer loucura, ele acaba os endossando. E mais, o próprio veículo para o qual o jornalista escreve endossa institucionalmente as maluquices exibidas, ainda que pretenda se passar por um veículo que faculta aos jornalistas a liberdade de opinião. Isso como instituição, ainda que de forma mais passiva.

Vivemos um contexto em que as pessoas estão muito sensíveis aos conteúdos que leem, ao mesmo tempo em que em geral sabem muito pouco sobre a verdade desses conteúdos. Esse é um cenário ideal para a propagação de fakesnews que agradam o receptor e de mentiras que favorecem a fonte.

Vivemos sim sob a égide do decreto-lei 972/69, que regulamentava a profissão de jornalista e que exigia a formação acadêmica para o exercício da profissão. Mesmo não impedindo os jornalistas que já estavam em atividade, foi instituído no regime militar e tinha clara finalidade de afastar do jornalismo intelectuais contrários ao regime.

Não vamos aqui defender que o curso seja desimportante, até porque a formação dificilmente poderá fazer mal a alguém, mas é preciso conhecer que ela não é obrigatória e reconhecer o quanto ela é insuficiente.

Para atuar no jornalismo, há que se ler constantemente, há que se informar em várias fontes, estar atento ao contraditório na notícia. E, quando se vai falar de um tema qualquer, é preciso estudar o tema específico, se atualizar e aprofundar. Afinal um jornalista é como um palestrante, fala para muitos ouvirem, portanto, precisa conhecer do assunto e falar com propriedade.

E, de fato, entre outros temas que têm sido noticiados de forma incompleta, e até mesmo divergente do que se produz na academia a respeito do assunto tratado, pelo jornalismo diletante feito por jornalistas formados, destacam-se os temas ligados à ecologia e ao meio ambiente em si.

Há realmente uma quantidade enorme de jornalistas que parecem nunca ter estudado nada a respeito de biologia, de ecossistema, emissão de gases como o metano à atmosfera (que leva ao aquecimento global pelo efeito estufa), enfim, que nada ou quase nada sabem da questão ambiental e que estão criticando a Anitta, que, como veremos, estudou o assunto com prudência e abordou o problema em uma transmissão de vídeo ao vivo na Internet.

O fato é que estamos vivendo uma inversão: os principais influenciadores, que não passaram por formação em jornalismo, têm demonstrado em geral mais acuidade, maior embasamento e melhores deduções sobre os temas que abordam do que muitos dos principais jornalistas. Isso porque em geral influenciam sobre assuntos que pesquisam e/ou nos quais são especialistas. Confirmam esse diagnóstico vários jornalistas tidos como experientes que trabalham no grupo Globo, mas que se mostram meros leitores de teleprompter.

Trata-se de um tema que merece muita atenção nas campanhas e na comunicação perene dos agentes políticos de viés progressista.

Veja que estou falando aqui do Felipe Neto, da Anitta e do Henry Bugalho, pessoas que teriam toda a liberdade para abordar mais ligeiramente, mais levianamente os assuntos, mas têm, entre muitos outros bons influenciadores, demonstrado profundidade e responsabilidade no que falam, levando a sério o fato de terem audiência grande e merecedora de conteúdos de qualidade, baseados nas verdades dos fatos. Estudam o assunto a fundo antes de sair defendendo qualquer ideia na busca irresponsável da "lacração" a qualquer custo.

E quase que para atestar o que viemos tratando aqui, aparecem jornalistas para ridicularizar o influenciador, aparentemente para defender quem os paga.

É fato isso, mas lamentável demais. Nem sabemos se é o caso de acusar a pessoa do jornalista, porque pode estar sendo submetida a essa situação por simples dependência financeira em relação ao veículo. Mas isso não muda o fato de que, infelizmente, a função do jornalista tem sido defender os interesses das empresas de comunicação em que trabalham.

Dentre nós dois, Leonardo Stoppa pode confirmar isso. Tanto como jornalista, devidamente registrado desde 2002, e ainda mais como engenheiro ambiental. Anitta, você está absolutamente certa!!!

Da mesma forma, Felipe Neto está correto em seu posicionamento a respeito de jornalismo: o jornalismo está dando palco para a loucura; o jornalismo está ridicularizando pessoas que estão falando acertadamente, como a Anitta, em favor de quem tem mais dinheiro, e que, por isso, manda.

O que Anitta falou é que hoje nós temos no Brasil uma quantidade limitada de recursos que estão sendo distribuídos de uma forma muito desigual.

Imagine o Brasil produzindo uma quantidade gigantesca de carne para exportação, sendo que, para produzir esta carne, foi necessário produzir antes um vegetal para alimentar a rês. Aí o animal é abatido e erguem-se dois problemas:

O primeiro grande problema é da carne para exportação. Ele começa pela extensa área destinada às pastagens e à plantação de soja, feita para alimentar não seres humanos, mas para alimentar animais. Assim também o milho, que em grande parte é destinado a alimentar animais.

Veja-se com isso que muito mais terras, além das destinadas às pastagens extensivas, são utilizadas no Brasil para alimentar animais, que, por sua vez, são transformados na commodity *carne*.

Vejam que não estamos defendendo aqui que temos de parar de comer carne. Isso é interessante, mas esse é outro assunto. Queremos tão-somente apontar que os ruralistas não pagam pelo tanto que consomem da água doce brasileira.

E a água é um bem cada vez mais escasso no mundo, a ponto de ser chamada de petróleo do futuro. Há países, como o Canadá, entre outros, que já compram de países estrangeiros parte da água que consomem. Esse é um processo que tende a se intensificar com o tempo e deve atingir a maior parte dos países ricos. Não por acaso a nossa água está sendo objeto de cobiçoso, e não nos assustaria se esse aumento da concessão do controle dos recursos hídricos ao setor privado nos leve enfim à privatização da água. Mas esse também é outro assunto.

E os ruralistas produtores de carne não têm contribuído com a sociedade na proporção do que eles sugam do planeta. Usam uma vasta porção de terra para produzir uma pequena quantidade de comida, destinada unicamente para o estrato mais alto da sociedade. Mas a água é um bem comum. Portanto, tem muita gente perdendo, muita gente sendo roubada, subtraída nessas tenebrosas transações.

Além dos efeitos nocivos gerados pela utilização das grandes glebas e demais pontos elucidados acima, temos que as reses consomem quantidades descomunais de fibras, e produzem por isso grande quantidade de gás metano. Essa produção exagerada de metano influencia decisivamente no aumento do efeito estufa. Como sabemos, o efeito dessa deterioração é o aquecimento continuado da Terra, que pode conduzir a muitos desastres naturais decorrentes da elevação do nível dos mares, fruto do próprio aumento do volume pelo aquecimento da água e também pelo derretimento das geleiras polares, ocasionando o desaparecimento de ilhas, cidades costeiras, além do grande impacto na agricultura e na vida mesma sobre a terra. Vale destacar ainda os decorrentes fenômenos violentos da natureza, como tufões e ressacas que alterações climáticas podem provocar.

E essa emissão de metano não se restringe ao período de desenvolvimento do animal. Apesar de casos isolados em que se consiga um total aproveitamento dos restos de bovinos, a regra que pode ser adotada hoje para a produção de carnes é que depois do abate, há partes (restos) do animal que vão entrar em decomposição. E assim o animal continuará a produzir metano mesmo depois de morto.

Veja-se que Anitta não está errada. Ela se preparou para falar sobre o assunto, ela estudou o assunto. Já a jornalista que satirizou Anitta o fez tão-somente escudada por seu diploma de jornalismo, e incitada, muito provavelmente, por um grande desejo de lacração.

Parece estar convencida de que com um diploma de jornalismo você pode abordar todos os assuntos, você pode criticar todas as pessoas. O fato é que os jornalistas brasileiros estão fazendo simplesmente o papel de porta-vozes de quem os pode pagar, e assim estão destruindo a reputação da profissão do *jornalista*.

Felipe Neto tem razão, jornalista não tem que dar palco para coisas que não fazem sentido só para ter visualização, só para ter ibope.

Da mesma forma, Anitta está correta em relação ao consumo de carne. Seja você favorável ou contra o consumo de carne, é imperativo admitir que ele tem esses efeitos colaterais.

Aliás, quem está ligado à Comunicação Política precisa ter tudo em conta. É preciso enfatizar inclusive que a ridicularização no jornalismo e na comunicação em geral não é nova, mas tem sido intensificada, como forma de abater o concorrente, o adversário ou o desafeto.

Nesta altura devemos fazer justiça e dizer que o Bolsonaro acerta quando diz que a profissão do jornalista está chegando ao fim, porque aos poucos o povo está começando a perceber que infelizmente o jornalista trabalha só para engrossar o que os patrocinadores querem e para ridicularizar, zombar daquilo que os patrocinadores não gostam.

Para finalizar. Quanto à ridicularização, há um fato intenso e curioso que envolve dois dos maiores nomes da música popular brasileira, Ari Barroso e Elza Soares.

Ari apresentava um programa de calouros na TV, e Elza Soares, ainda adolescente, se inscreveu. Como era muito pobre, não tinha um vestido adequado pra se apresentar no programa, foi com o vestido da mãe, muito maior e mais corpulenta que ela. E o grande Ari Barroso se fez pequeno e a ridicularizou:

- Mas de que planeta você vem?

Ela fez um silêncio dramático e deu uma resposta que consternou toda a plateia, e a nós mesmos, ao lembrarmos.

Respirou fundo e respondeu simplesmente:

- do planeta fome!

...

E aí cantou divinamente, erguendo como nunca o auditório de um agora Ari Barroso completamente acabrunhado.

Trazemos essa história para falar do tema do capítulo, a ridicularização do que é verdadeiro e bom, mas também para lembrar que entre o começo da leitura e esse ponto, leitor amigo, mais que cem crianças morreram de fome no mundo, sem ter acesso a essa água que se gasta para produzir esta carne, e muito menos à própria carne, naturalmente. Jamais comeram ou comerão um só churrasco na vida.

    O acerto da Comunicação Política é muito mais sério do que possa parecer, pode decidir quantos vão comer, quantos não. Quem continua a viver, quem não.

O Fator Inveja

> "[...]a inveja é provocada pela possessão de bens que não seriam, para aquele que inveja, de nenhum uso".
> LACAN, [1964] 1985, p. 112

O Brasil se escandalizou com a cena de um jovem humilhando um entregador de encomendas do ramo da alimentação. Ambos se chamam Mateus, mas têm históricos diametralmente opostos, e em muito mais sentidos que o óbvio da condição financeira.

A intenção aqui é buscar extrair da cena o que ela revela de interesse para quem esteja interessado em Comunicação Política. Chegaremos lá, sem dúvida,, mas investiguemos inicialmente a inveja em si.

Jacques Lacan, depois de Freud, se interessou pelo tema. É dele, por exemplo, a afirmação de que "O invejoso empalidece diante da inveja da completude que se fecha". Isso mesmo que, como aponta a epígrafe, possa estar invejando algo que o outro possui, mas que para si não tem qualquer valia.

Para evidenciar a imagem de alguém que inveja o que de nada lhe serve, Lacan apela ao relato de Santo Agostinho, que mostra uma criancinha com o olhar de inveja, dirigido ao irmão de leite, pendurado ao seio da mãe. Se a mãe lhe oferecesse o seio ele recusaria, ele não deseja o seio, ele apenas olha e o olhar desperta a inveja, ainda que a inveja presentifique a falta.

Adentramos aí num mundo obscuro, em que muitas coisas sequer podem ser ditas, já que a palavra menos as explica, e mais as constitui. Em algum sentido, invejar substitui o possuir, a inveja ocupa o lugar da possessão que o satisfaria.

Na cena que chocou o país, o Mateus agressor olha para o trabalhador e diz que este o inveja, justamente porque a ideia da inveja tomava conta da mente do primeiro.

Fernando Pessoa ensina que o poeta é um fingidor, que finge ser dor a dor que deveras sente. Trata-se de uma frase algo enigmática, que sugere que a poesia é necessariamente artificial, inventada, o mais seria mera confissão ou tão-somente estéril lamento. Contudo nos serve como metáfora, nos ajuda a entender o que se passou. Senão vejamos, o mais provável, e essa é a nossa tese, que o Mateus que gritava, frente à imagem do Mateus que trabalhava o invejou. Mas por quê?

São várias as possiblidades. O Mateus do condomínio pode sofrer de um "complexo de gordo", e tem características de alguém que engordou mais recentemente, talvez pelo uso de anabolizantes sem se submeter aos esforços físicos: à "malhação". Não podemos afirmar isso categoricamente, mas podemos afirmar que ele tem vários sinais que apontam nesse sentido, em especial um constante e aparentemente involuntário movimento que apresenta, o de tocar a própria genitália, conhecidamente afetada pelo uso de anabolizantes.

Mas então vocês estão afirmando que consumiu anabolizantes e não cumpriu as séries de exercícios físicos? Claro que não! Estamos te convidando a avaliar uma hipótese que nos parece plausível, por vários sinais, como o volume corporal, deformidade e gestos, só isso.

Um outro sinal importante é que ele ofende olhando para o ofendido, enquanto esfrega o próprio braço, por exemplo, mas quando se vê encarado pelo ofendido, recua e procura seu par, um vizinho.

Em seu livro *O Mal-Estar da Civilização*, Freud descreve como o eu se confunde com o eu coletivo quando há um amor exacerbado pelo líder. Esse processo faz com que se procure outros que amem esse mesmo líder e a partir daí o seu gozo (no sentido amplo da palavra) fica condicionado à vivência no grupo. O grupo em alguma instância passa a ser seu eu.

Como foi amplamente divulgado, o Mateus acima do peso é um bolsonarista-olavista obsessivo, o que hipoteticamente o colocaria nessa exata posição.

Nenhum de nós é psicanalista, nossa informação a esse respeito se deve a algumas leituras esparsas, mas entendemos que elas nos equipam com o mínimo para as observações em tela.

O que nos interessa de fato, como progressistas, é buscar entender melhor o que realmente está acontecendo com as pessoas do outro lado. Pessoas que em 2010 eram praticamente unânimes em aprovar um governante progressista, mas em 2020 fecham questão em torno de um personagem interpretando um conservador. Nesse sentido, o Mateus "cidadão de bem" pode contribuir, como um exemplo acabado e sem disfarces, da origem do ódio que temos visto ser destilado com desenvoltura, e até com orgulho, inclusive por muitos de nossos amigos de infância, nossos exs, nossos irmãos, etc.

Munidos dos movimentos que todos fazemos nas redes, os algoritmos informaram aos poderosos interessados em fazer prevalecer o pensamento de liberal, e de forma individualizada, quais são nossos maiores desejos, medos e recalques.

O mal está bem distribuído na humanidade, nós todos temos sentimentos ruins. A diferença, o que por meio dos algoritmos conseguiram mudar em muitas pessoas, foi a posição de vergonha e negação desses sentimentos, para a afirmação deles, algo que só é possível por dois motivos.

O primeiro é o uso de mensagens frequentes que reiteram o que eles já sentem, para em seguida ir incentivando outros pensamentos destrutivos, a conta-gotas.

O segundo é obtido por meio de grupos, pelos quais os algoritmos vão fomentando o sentimento de pertença, a ponto de os indivíduos gradativamente passarem da vergonha ao orgulho dos próprios sentimentos ruins.

O agrupamento serve também para o estímulo ao ataque. Émile Durkheim, em seus estudos sobre o fato social, mostra como o que um indivíduo jamais faria sozinho, em grupo se libera para fazer. O mais clássico dos exemplos é o linchamento popular. Em geral, qualquer indivíduo que tenha participado de uma executaria, jamais assassinaria alguém. Mas em grupo se sente autorizado a fazê-lo, e é capaz inclusive de posteriormente se vangloriar do feito.

Estamos também falando de um assunto que já é explorado há muito tempo, seja na literatura, seja no cinema, por exemplo. Talvez um dos maiores mestres seja Steven Spielberg, que explorou os medos magistralmente, seja o antigo medo do monstro do mar - já explorado por Virgílio na sua Eneida e por Melville em seu Moby Dick – em O Tubarão; ou o medo de brinquedos, como em Gremlins, ou o medo das máquinas, no magistral Encurralado, de longe o melhor trabalho cinematográfico dele, talvez o único que indicássemos, embora menos conhecido do grande público.

Assim como o medo, a raiva também foi largamente explorada, principalmente por meio de vingadores, excepcionais, como *Rambo* e tantos outros da linha.

Mas o medo, a raiva e demais sentimentos explorados por essas produções tiveram que buscar o que havia de mínimo múltiplo comum, para explorar o que de uma forma ou de outra, com uma ou outra intensidade, todos sentiam.

O trabalho do grupo interessado na ascensão dos liberais, por meio da desestabilização política dos países, teve uma ferramenta que o dispensou de maiores refinamentos interpretativos da alma humana: a informação. Sim, nós e você que nos lê igualmente despejamos muito de nós por meio de bytes, seja por postagens e comentários, seja por envio de e-mails e falas ao telefone. Hoje tudo isso foi transformado em material disponível a quem por ele possa pagar.

O que queremos dizer é que esse grupo teve tudo aplainado pelos *Big Data*, e pôde, pela primeira vez na história, ter acesso à intimidade de todas as pessoas, podendo assim explorar os medos e desejos de forma individualizada, ao mesmo tempo que pôde nos catalogar e classificar, buscando nos controlar tanto idiossincraticamente, com mensagens calibradas exclusivamente para um determinado receptor, como direcionar a mesma mensagem a milhões, mas em grupos segmentados.

O Mateus "bombado" dá a pinta de ser alguém que foi completamente abduzido por esse sistema de esmagar almas e controlar reações. O que dissemos até aqui, ainda que perpassando em sobrevoo temas que idealmente deveriam ser aprofundados individualmente, tenta mostrar por meio de um exemplo conhecido, o que seria o resultado desse processo.

Mesmo que, por infelicidade nossa, tenhamos escolhido um exemplo que na prática, no futuro, se mostre incompatível, o que vale é a imagem pública que gerou, e isso em nada comprometerá o que aqui foi dito.

Muito bem, amores, mas o outro Mateus, o Mateus que estava trabalhando, não mereceu a atenção de vocês?

Ao contrário, ele é possivelmente o protagonista de algo que pode ainda mudar toda a cena atual, e talvez gerar um desiquilíbrio grande, trazendo ao centro do espectro ideológico quase todo o país. Bem, o centro, como sabemos, é liberal economicamente, mas em aspectos sociais, precisa ser avaliado a partir do ponto de observação. No caso está à esquerda do governo atual. Nos explicamos.

Para tanto faremos uma nova, mas pequena, digressão. Logo acima falamos de filmes de heróis vingadores, sabemos que são em maioria grande sucesso de público. Por quê? Porque ao assistirmos um filme, firmamos um pacto que naturalmente baixa nosso senso crítico e nossa noção de realidade. Se assistimos a um filme de fadas e bruxas, não estranhamos ao ver pessoas voando apoiadas em sua vassoura, por exemplo. Aceitamos o pacto ficcional, entramos em semi-hipnose, e passamos a viver os acontecimentos que nos são mostrados na tela.

Ocorre que não há apenas o pacto ficcional e a baixa do senso crítico, o que acontece é que de certa forma assumimos a persona do protagonista. Ao vermos Ulysses vencendo o Ciclope, somos também quem ali engana e fura o olho desse ser da ficção ancestral.

Muito bem, quando vemos na tela a cena protagonizada pelos homônimos opressor e trabalhador, é natural que assumamos a persona de um deles. Embora, como pretendemos ter provado em capítulos anteriores, apesar de o adjetivo "pobre" estar tão cancelado a ponto de quase ninguém mais se identificar como pobre, praticamente toda a população assumiu a persona do garoto dessa condição.

Isso se deu por vários motivos, ele é trabalhador como todos nós, reagiu firmemente, mas sem violência e tampouco se valeu de baixo calão, sofria inquestionável injustiça e clara humilhação. Acresça-se a isso o fato de um representar claramente o bem e outro o mal. E vale destacar que as novelas brasileiras usaram e abusaram de pobres bonzinhos e ricos malvadinhos.

Com isso, ato contínuo, o Mateus trabalhador, mesmo pobre, imediatamente virou herói nacional!

Montou-se uma vaquinha virtual na Internet que, além de uma moto nova, acumulou pra ele pelo menos mais de uma centena e meia de milhares de reais.

E é aí que acontece algo que o coloca como paradigma e como coadjuvante, num verdadeiro lance de mestre dado na Comunicação Política, e que explica o interesse de termos escrito esse capítulo.

O que aconteceu em seguida, num movimento de oportunidade? Um dos atores políticos cotados para a próxima corrida presidencial, Luciano Huck, entrou em ação. Localizou o Mateus herói, o entrevistou e assim atraiu pra si toda a energia que circulava no país naquele momento, advinda do embate dos Mateus.

O que esse apresentador fez nem é nada de mais, sequer requer alguma grande inteligência interpretativa, ainda que ele a tenha de sobra. Muitas vezes basta ter uma calculadora à mão, ver pelos dados públicos mesmo o que está mexendo com as pessoas e simplesmente "faturar". Eis o ponto.

Os progressistas têm tomado de goleada nesse quesito. Aí perguntamos: quem, dentre os atores políticos com chances na corrida presidencial, tem lugar de fala pra tratar desse assunto? Quem dessa corrida já foi pobre, já foi humilhado? Pois então, o que faltou para que Lula ligasse para o Mateus pobre e oferecesse solidariedade? No mínimo faltou uma equipe mais bem instruída e mais atenta.

E nem foi só o Lula que perdeu esse bonde, essa bola quicando... ninguém, absolutamente ninguém, dentre os progressistas, tem se valido de agir nessas horas. E não falamos em agir apenas para "faturar" politicamente, mas por serem os mais legitimados e por serem os que melhor podem transformar um acontecimento desse em algo proveitoso para a sociedade.

O mais normal é esse tipo de situação ser explorada por programas televisivos de viés policial, para os quais a ética e o jornalismo mesmo são detalhes do passado. Hoje esses programas podem também ser chamados de fornos: fornos de fabricar pobres de direita.

Para concluir, devemos dizer que - já que o progressismo dorme em berço esplêndido, fazendo parecer que vivemos num país tranquilo, bem governado, com justiça social, um progressismo que entende que sua missão é a de usar a sua criatividade para ficar criando apelidinhos para pessoas contra as quais deveria estar lutando entrincheirados – devemos comemorar que o Luciano Huck, mesmo que você não goste dele, tenha se apropriado da história do Mateus, já que por pouco Mateus estaria cooptado pela rede de influenciadores do Bolsonaro, pregando a teoria da terra plana, negando o aquecimento global e lutando contra o kit gay...

Sabemos dos limites, tampouco somos arrogantes, mas temos sim a pretensão que esse livro represente uma gota nesse oceano. Quiçá uma gota grávida.

Crônica da inveja no cancelamento de Lula

A calúnia é uma brisa, um sopro leve muito gentil que, despercebido, subtil, ligeiramente, docemente, começa a sussurrar.

De início lentamente, em murmúrios, sibilante, vai rastejando, vai rodando; na mente da gente se introduz com destreza, e a cabeça, e os nervos, aturde e inflama.

Em desordem vai saindo, em desordem vai crescendo, faz-se forte pouco a pouco, voa já de um lado ao outro; como um trovão, uma tempestade que, no centro do bosque, agita o ar, chirria e de horror o sangue te gela.

No fim, transborda e estoura, propaga-se, redobra-se e produz uma explosão, como um tiro de canhão, um terremoto, um temporal, um tumulto geral, que faz o ar ribombar.

E o pobre caluniado, aviltado, pisado, flagelado por toda a gente, com tal fortuna, soçobra.

[O Barbeiro de Sevilha (Rossini) ária para baixo profundo: *La Calunnia è un Venticello*].

Lula foi do céu ao inferno na opinião pública brasileira, vítima de uma imensa calúnia. E, como a excelente e imortal ária da epígrafe canta, uma grande calúnia começa sutilmente, mas vai crescendo, vai crescendo, até que explode bruscamente. O que se vê na ópera (assistam!) é a elite conluiada com um de seus sabujos tramando contra um inocente, que no caso da ópera tem o sugestivo nome de Almaviva.

Lula, o alma viva tupiniquim, não poderia supor o que estava por vir, quando sentiu a leve brisa de uma manchete n'O Globo espetacularizando uma notícia de coluna social, sobre um apartamento que a família Lula da Silva teria comprado na praia do Guarujá. Lula ainda era muito grande para dar ouvidos a um fato tão pequeno. Mal sabia que era apenas o primeiro ato de uma tragédia completa que, como tal, consumiu corpos e almas amadas. Aquela era apenas a primeira nota do que viria a ser um prelúdio, composto com indigesto requinte, por quem se preparava para compor o sepultamento de uma nação.

O primeiro ato já começou grandiloquente. Hoje não é mais segredo o conluio que envolveu a CIA, parte do nosso Ministério Público e parte de nosso Poder Judiciário, assim como a maior parte da nossa elite financeira e política, com o PSDB operando a parte mais sangrenta da trama, como foi a urgente entrega do pré-sal. Uma vez posta em marcha a trama, explodiram vazamentos, delações, ameaças, conduções e toda sorte de tramoias sob o manto de um Estado já subtraído.

Foto: Ricardo Stuckert

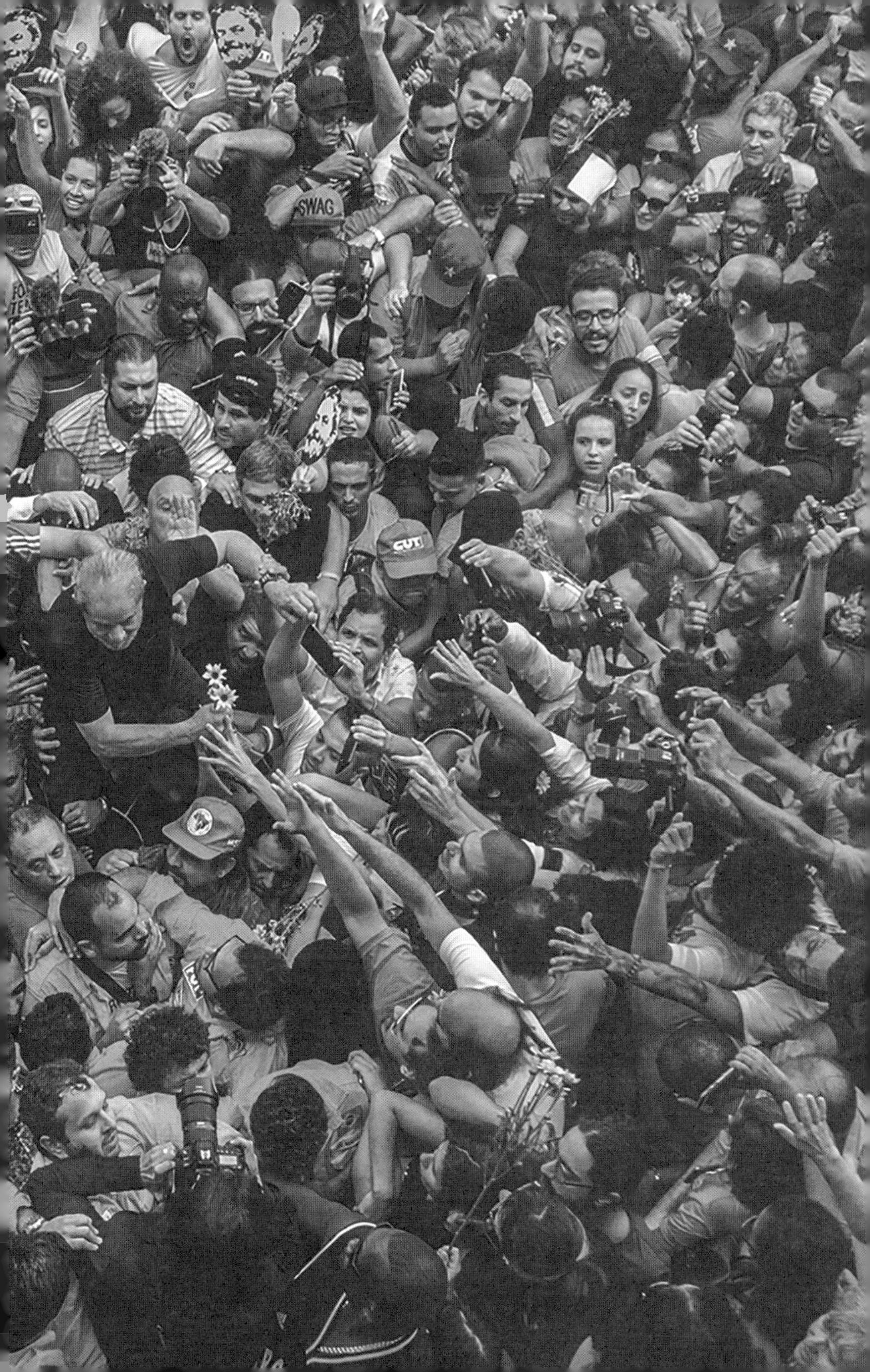
SWAG
CUT

O segundo ato foi representado em rede nacional, quando um certo veículo, líder de audiência, exibiu durante seu jornal mais badalado... transformado numa novela. Sim, notícias já não seriam suficientes para o fim almejado: derrubar um herói trágico, cujo destino nunca deixou de pregar peças. Os atores eram péssimos, a música era ruim, a montagem era cafona, mas o êxito foi garantido pelo enredo ultra maniqueísta.

O terceiro ato foi barbada, num cenário de corte marcial, pinguins cantaram em uníssono, a uma só voz, o mesmo texto. Era um canto mágico que colocava nosso herói em uma gaiola. A última cena desse segmento foi um helicóptero sumindo aos poucos no ar, conduzindo aquele que o povo fazia "herói" aos céus, para que se gravasse na plateia a imagem de uma alma de um defunto que ascendia, marcando o fim de sua jornada na Terra.

Uma vez na gaiola o homem se fez pássaro e nunca deixou de cantar, acompanhado por um lindo coro de suplicantes, numa vigília, que durou 580 dias, 24 horas por dia. Bom dia, presidente!

Os pássaros grandes que vinham de fora nem ao planalto iam, pousavam diretamente na porta da gaiola enferrujada, cujo hóspede fez dourada.

Quando o principal tarefeiro da empreita se fez ministro de um novo governo eleito na barra da saia da operação, o governo usurpador anterior já havia vendido a preço vil o pré-sal, contido qualquer maior investimento em saúde ou educação (quem as quiser que as pague, oras!) e retirado praticamente todos os direitos trabalhistas. Ao novo governo faltava apenas tirar a previdência, a aposentadoria dos trabalhadores. Ah, fácil, e com esse congresso então, nem se fale!

Sim, a trama foi armada por peixes grandes, mas só funcionaria se conseguisse enganar as massas. Conseguiu. Como? Contando com o que de ruim cada componente dessas massas trazia na alma, bastava fazer aflorar.

Muitos foram os maus-sentimentos exortados, mas um deles foi fundamental, o despeito, a inconformação de ver brilhar e de erguer o país um homem comum, de olhos negros e pele mais escura do que convém, e que falava sem empolamento, tampouco escondia a mão incompleta, descontada em um acidente de trabalho. Esses sentimentos podem ser expressos numa única palavra: inveja. Uma inveja que acabou por matar – aprisionando - a galinha dos ovos de ouro.

A alma humana titubeia, é ambígua. Ao mesmo tempo que as massas viam o país cada vez melhor no cenário internacional, e que iam tendo acesso à casa própria, conseguiam comprar um carrinho de mil cilindradas, colocar os filhos na universidade e ainda passear – e de avião! – sentiam conjuntamente despeito.

O despeito vinha de duas origens básicas. A primeira está descrita acima, é ligada a preconceitos muito arraigados contra pessoas com o fenótipo de Lula.

A segunda razão estava ligada à necessidade de protagonismo. A maioria não podia admitir que a melhora que experimentava estava ligada a um plano amplo, comum a muitos. Sentia necessidade de se acreditar autora do destino que experimentava e, para afirmar isso, precisava cancelar o homem que ela mesma aclamava como o benfeitor, o artífice que gerou aquele estado de bem-estar.

Mas a principal modalidade de inveja, Freud explica através de sua teoria da projeção. Trata-se da característica humana de ver nos outros um espelho da nossa personalidade. A estratégia de enfurecimento do povo contou com a segmentação do discurso, mas a parte mais genial, apesar de mais perversa, consistiu em contextualizar a suposta corrupção de Lula em um sonho do brasileiro comum: a casa própria. Essa contextutulização, para o brasileiro classe média, se deu na propriedade de um sítio.

Os Aecistas, hoje bolsonaristas, assim como os "Flordelis" desenvolveram ódio por Lula, não pelos supostos atos de corrupção, mas sim pela inveja que pode ser resumida na frase já utilizada em um comercial infantil veiculado inclusive pela Rede Globo "Eu tenho, você não tem!". Enfurecia os "cidadãos de bem" não a suposta corrupção, mas o fato de que a eles não foi dada a oportunidade de se corromper e realizar tais sonhos.

Mas, e as provas? Não é preciso provas, e isso também é freudiano. A comunicação sobre os supostos crimes do ex-presidente Lula não foram feitas para convencer pessoas, daí não precisarem de provas, pois a prova já estava contida no inconsciente do próprio receptor! A mídia engajada no processo, como a Globo e afins, mirava exatamente na parcela potencialmente corrupta da sociedade, que dispensaria as provas com um raciocínio baseado em seu próprio comportamento:

A comprovação lógica mais básica é a silogística, baseada em que se A é igual a B e igual a C; portanto A é igual a C. No exemplo clássico temos: Todo homem é mortal. Sócrates é homem; portanto, Sócrates é mortal.

Seguindo canhestramente essa silogística elementar o pensamento prevalescente foi:

"Se eu fosse presidente da República, me ofereceriam um tríplex na praia. Se me oferecessem, eu aceitaria; logo, Lula aceitou!".

Não se trata de suposição, é ciência, é técnica de comunicação. A Globo, principalmente, soube criar um roteiro de novela para a perseguição e condenação do Lula, valendo-se de elementos que representam o objeto de desejo do imaginário popular: uma casa na praia e um sítio.

Uma contextualização que visa itens que integram justamente o sonho do público alvo: os aecistas, os flordeliz e a classe média cobiçosa. O roteiro da Globo leva quem não tem esses itens a odiar quem os tem, e a quem já os têm faz relembrar todo o sacrifício e superação necessária para conquistar a casa própria. Aos que não têm, restam ainda as frustrações de pagar aluguel, de não ter casa na praia, e tudo isso os faz reviver a inveja que sempre tiveram do sítio do primo rico.

Munidos de toneladas de dados, e donos de algoritmos poderosíssimos, o grupo que articulou a grande calúnia não enfrentou dificuldade para convencer a plebe ignara, que se distribui entre todos os estratos sociais do Brasil, de que Lula era o chefe de uma quadrilha que assaltava o Estado.

A corrupção corrói mesmo o Estado, e deve ser combatida sem piedade (apesar de ter sido concedida a Onix Lorenzoni, por exemplo). Trata-se de um argumento-mestre, aquele do qual ninguém discorda.

Mas a questão nada tinha a ver com corrupção. Era inveja, e da braba! Para provar, basta ver uma mala de dinheiro sendo conduzida por Rocha Loures em disparada no centro de S. Paulo, sem causar nem de longe a mesma indignação. O dinheiro reservado a Aécio foi filmado e o automóvel que o conduzia a Minas era seguido pela PF. Mas quê! Centenas de milhões de dólares foram encontradas em contas ligadas ao Serra... e daí? Corrupto é o Lula.

Isto tem uma explicação. O texto abaixo, que Marx extraiu de Goethe que, por sua vez, o escreveu sob inspiração direta do *Mercador de Veneza* de Shakespeare que, como sabemos, em geral escrevia baseado na literatura antiga:

> *As propriedades do dinheiro são as minhas próprias (do possuidor) propriedades e faculdades. O que eu sou e posso fazer, portanto, não depende absolutamente de minha individualidade.*
> *Sou feio, mas posso comprar a mais bela mulher para mim. Consequentemente, não sou feio, pois o efeito da feiura, seu poder de repulsa, é anulado pelo dinheiro.*

Como indivíduo sou coxo, mas o dinheiro proporciona-me vinte e quatro pernas; logo, não sou coxo.
Sou um homem detestável, sem princípios, sem escrúpulos e estúpido, mas o dinheiro é acatado e assim também o seu possuidor.
O dinheiro é o bem supremo, e por isso seu possuidor é bom.
Além do mais, o dinheiro poupa-me do trabalho de ser desonesto; por conseguinte, sou presumivelmente honesto.
Sou estúpido, mas como o dinheiro é o verdadeiro cérebro de tudo, como poderá seu possuidor ser estúpido? Outrossim, ele pode comprar pessoas talentosas para seu serviço e não é mais talentoso que os talentosos aquele que pode mandar neles?
Eu, que posso ter, mediante o poder do dinheiro, tudo que o coração humano deseja, não possuo então todas as habilidades humanas? Não transforma meu dinheiro, então, todas as minhas incapacidades em seus contrários?
Se o dinheiro é o laço que me prende à vida humana, e a sociedade a mim, e me liga à natureza e ao homem, não é ele o laço de todos os laços? Não é ele também, portanto, o agente universal da separação? Ele é o meio real tanto de separação quanto de união, a força galvano-química da sociedade.

O que queremos dizer é que, sendo brancos e ricos, Aécio e Serra, por exemplo, tinham o salvo-conduto da honestidade presumida, desimportanto as provas. Exatamente o que acontecia com Lula, só que pelo inverso.

A sociedade permite a corrupção dos que já são nobres, porque a eles é permitida a corrupção, mesmo que não sejam presumidos inocentes. A sociedade não reclama, aceita, como natural, os vê como merecedores.

Via de regra o funcionário conhece o comportamento sonegador do patrão, que como tal é criminoso. Mas, ao invés de se preocupar com isso, sente segurança, porque inconscientemente sabe que isso assegura seu emprego. O dinheiro é honesto em si, portanto honesto é seu possuidor.

Paradoxo dos paradoxos. O dinheiro que Lula teria, nesse mesmo raciocínio, deveria lhe indultar, mas são muitos os vetores que atuam nesse jogo complexo das relações humanas.

Vendo-se no meio do furacão, Lula confiou no seu prestígio. Apostou mal. A única maneira que tinha, se é que realmente havia alguma, de evitar os males a que foi submetido seria montar uma estratégia de comunicação capaz de neutralizar, ainda que em parte, a ação inimiga.

Em paridade de armas ele os venceria, mas mesmo na desigualdade ele poderia ter evitado inclusive o golpe. Talvez, por mais assertivamente que agisse, não estava na Dilma a condição de segurar o tsunami, estava nele, no Lula. Ele confiou no que deu sempre certo em tempos de calmaria, foi intuitivo, criativo, falou em jararaca, em tesão de vinte, mas tudo isso se voltou ainda mais contra ele. Os velhos tempos eram quiméricos já, a dura realidade se impôs.

Águas passadas não rodam moinho. É preciso atinar para o novo tempo com urgência, pra reconstruir, tijolo por tijolo, o castelo derruído. É preciso lançar os fundamentos dessa obra, e ela só pode ser erguida em segurança se nos valermos de ferramentas modernas e do melhor conhecimento científico na área intrínseca da política, que é a comunicação planejada municiada por tecnologia e informações.

Assim como se diz que houve um tempo que era possível amarrar cachorro com linguiça, podemos afirmar que já se fez política com o estro, a intuição de um grande líder. Esse tempo é pretérito, e não reconhecer esse fato só poderá nos manter maniatados, como temos estado desde junho de 2013, apesar de termos vencido as eleições de 2014. Vencemos, é fato, ocupamos as cadeiras certas, mas o poder já estava em outras cadeiras, as erradas.

A Árvore de Keynes

Há uma discussão pungente se houve realmente comunismo no mundo ou não. Eu, Sálvio, sou de opinião que houve comunismo sim, ainda que muito imperfeito, sem democracia, e quase sempre sanguinário. Já o Leonardo Stoppa, não sem razão, entende que sequer houve comunismo.

Hoje, ainda que tenhamos resquícios do que um dia foi essa chamada "aventura comunista", com Cuba resistindo ao embargo imposto há 60 anos e mesmo assim tendo, por exemplo, uma das medicinas mais avançadas do mundo, e um número de egressos na universidade de fazer corar muitas nações; e a China governada por um partido comunista encostando cada vez mais na maior economia do mundo, não tem como não reconhecer que o modelo não prosperou. Vai voltar um dia? Se chegar a voltar certamente será completamente diferente, a história até se repete, mas não se repete integralmente.

O Caso de Cuba é heroico, mas bastante complicado, com muita pobreza, ainda que bem distribuída, e com muita morte sumária dos inimigos do governo. Já a China só cresceu quando combinou o governo do partido comunista, partido único, com uma agressiva economia de mercado. Talvez seja um modelo que ainda crie clones, dado o êxito espantoso.

Nesse passo convém ressaltar que, em geral, os teóricos apenas oferecem substrato retórico para justificar aquilo que os governantes já pretendem fazer, e o farão indepententemente deles. As teorias são muitas vezes tão-somente uma forma de lustrar a comunicação do governante com o seu povo ao comunicar suas decisões, que assim ganham fumos de autoridade intelectual. Os prêmios, Prêmio Nobel incluso, completam isso. Quando um governo imperial quer adotar uma medida econômica, compra ou induz a um prêmio Nobel o teórico que propôs a teoria. A partir daí o povo aceita essa teoria como dogma inquestionável. "Como assim? é um *Nobel Prize*!"

Tudo que a teoria econômica clássica moderna produziu continua válido; Adam Smith (1723-1790) está tão firme como sempre. Mas hoje assistimos no capitalismo a uma dicotomia entre duas teorias econômicas opostas, a do inglês John Keynes (1883-1946) e a do americano Milton Friedman (1912-2006).

Apesar de que hoje a referência dos liberais seja Friedman, o primeiro economista a contestar a teoria de Keynes foi Friedrich Hayek, escolhido como guru econômico por Margaret Thatcher no início de sua gestão como Primeira Ministra inglesa. O que consolidou Friedman como novo antagonista de Keynes foi a institucionalização do pensamento liberal nos EUA, através da Escola de Chicago, um *think tank* nascido do financiamento de John D. Rockefeller.

Hayek e Friedman acreditam que o estado deva limitar-se ao que é impossível ser provido pelo setor privado. Ainda mais radical que Friedman, Hayek acreditava que o estado não deveria intervir em nenhuma circunstâ   ncia, sob pena de gerar atividades ineficazes, já que a intervenção do estado funcionaria como uma distorção ou falha de mercado...

Nosso atual ministro da economia, Paulo Guedes, é um seguidor dos ensinamentos dessa linhagem. E Guedes age deliberadamente no sentido de gerar concentração de renda na camada mais rica e miséria entre os mais pobres. Apenas que, segundo seu interesse, para vender nosso patrimônio e retirar investimentos em programas de redistribuição de renda, coloca a conta no bolso do Friedman.

Para atestar essa hipótese basta observar qual o grau de meritocracia que o nosso ministro impôs aos seus próprios filhos e, a partir daí, concluir que Guedes sabe que está condenando nosso povo à morte por fome, já que jamais praticaria em casa o que impõe à sociedade.

Da mesma forma os EUA impõem Friedman goela abaixo dos países subdesenvolvidos, mas não abrem mão das próprias atividades estatais. Praticam o Keynesianismo em várias áreas, como na indústria bélica e aeroespacial, além de aplicar forte política de subsídio para seus produtores rurais.

O fato é que em economia não há um caminho único, um paradigma, um dogma. Existem soluções diferentes para contextos diferentes que pedem políticas econômicas diversas.

A recente crise do sistema financeiro ocorrida em 2008 foi em grande parte ocasionada pela política liberal adotada a partir de 1979. Políticas keynesianas voltaram a ser empregadas em toda Europa e EUA, a ponto de economistas assumirem: "Keynes está mais vivo do que nunca!".

Vamos então falar de Keynes, e de como a sua teoria explica o que vivemos no Brasil nos anos que ele foi governado pelo Partido dos Trabalhadores.

Keynes aposta no Estado como agente econômico, capaz de agir investindo e fomentando investimentos, notadamente em momentos de estagnação econômica. Reconhece a importância do Estado em manter consigo as empresas estratégicas à soberania política e econômica. Os governos do Partido dos Trabalhadores, notadamente o de Lula, mas também o de Dilma, seguiram o caminho apontado por Keynes, ainda que de forma adaptada ao contexto brasileiro da época.

Ao defender a intervenção do Estado na economia, Keynes não propõe o fim da livre iniciativa. O estado para ele tem a responsabilidade de gerar eficiência no capitalismo, neste sentido, Keynes propõe a atuação do estado sempre que exista a possibilidade de ativar fatores de produção subutilizados, que pode ser desde toda uma economia, como aconteceu após a quebra da bolsa dos EUA em 1929, ou atuações pontuais, como acontece em países em que regiões possuem grandes atividades econômicas, porém, outras regiões possuem fatores de produção subutilizados.

Keynes criou todo um sistema, pensou a economia em sua estrutura micro e macroeconômica, e seus ensinamentos guiaram majoritariamente a Europa e outros países importantes nos anos 1950 e 1960, os anos de ouro para o Estado de Bem-estar Social.

Nos anos 1970 esses países mudaram o rumo, e por três décadas seguidas o modelo liberal foi tomando o espaço. Na primeira década do milênio, contudo, com governos progressistas por toda a América Latina e com Obama tentando mudar os rumos nos EUA, Keynes voltou a ser valorizado na escolha das políticas econômicas.

A teoria macroeconômica de Keynes é rica e por isso merece um livro inteiramente a ela dedicado. Nosso objetivo aqui é bem mais modesto, queremos tão-somente abordar um dos ensinamentos de Keynes, que trata de impulsionar a economia através do investimento na base da pirâmide econômico-social.

Daí nosso desejo de explorar a metáfora da árvore.

Se quisermos uma arvore viçosa, com folhas vigorosas e verdejantes, teremos de garantir a sua hidratação. Contudo, se aplicarmos a água nas folhas, no máximo as teremos lavadas por fora, o que em nada influi no seu viço.

Se quisermos uma árvore frondosa, teremos de irrigar suas raízes, às quais podemos ainda fornecer adubos e materiais orgânicos vitais, além do necessário nitrogênio, por exemplo.

O demais acontece como mágica, as raízes absorvem o que lhes servimos e começam o processo que resultará em que tudo que lhe fornecermos acabar no tronco, galhos, folhas e brotos.

Algo muito similar acontece na economia. Um investimento governamental, por exemplo, retirado do erário, se for direcionado à base da economia, mais diretamente às pessoas mais necessitadas, e às microempresas, o milagre da multiplicação acontece automaticamente, como que por encanto.

O melhor exemplo é o dinheiro da chamada renda básica aos necessitados. Uma vez de posse dele a pessoa tende a imediatamente comprar, por exemplo, alimentos. Esse ato, quando repetido em escala, detona um processo virtuoso, que favorece da quitanda que vendeu o alimento, ao produtor, ao fornecedor de insumos do produtor, ao transportador, ao fornecedor de peças para caminhão e à própria indústria automotiva, e aos bancos que financiam todas as operações. Como é um dinheiro que acaba gerando produção, portanto riqueza, o próprio caixa do governo acaba recebendo de volta esse dinheiro em forma de arrecadação, num ciclo que vai se expandindo de forma exponencial.

Caso esse mesmo dinheiro tenha sido investido numa grande empresa, pode gerar algum emprego, é verdade, mas também pode acabar na conta de investimentos financeiros do empresário, encerrando antes do início o que deveria ser um ciclo.

Apresentado dessa forma, é lícito que se obste que se fosse tão fácil seria só fabricar um montão de dinheiro e distribuir para pobres e pequenos empreendedores que tudo se multiplicaria como numa corrente, numa dessas desastrosas pirâmides financeiras que sempre reaparecem.

Não é o caso, esse é um sistema que tem seus limites naturais, e só pode ser aplicado enquanto seus efeitos colaterais sejam menores que sua força propulsora. Um dos possíveis efeitos colaterais é a inflação decorrente de constante aumento na demanda em velocidade maior que o aumento da produção. Precisa ser, portanto, muito bem planejado e meticulosamente dosado, com medidas complementares, como favorecimento de novas iniciativas produtivas.

Se molhássemos sem parar as raízes de uma árvore, certamente a mataríamos depois de algum tempo, porém, se lhe fornecermos de forma intermitente, no ponto ideal (as raízes) a quantidade certa de água, o processo todo será frutuoso, apesar de que tempestades e intempéries possam turbar o processo eventualmente.

Todo esse processo vale para a Comunicação Política. A eleição é resolvida por simples soma aritmética dos votos. Por isso precisamos investir nas bases, falar para as massas, nos fazer compreender por quem decide na hora de votar, ou seja, o próprio eleitor.

Já Aristóteles chamava a atenção em sua *Retórica*, que o bom orador não é aquele que faz o discurso mais elevado, mas aquele que consegue falar na linguagem dos ouvintes, e é por essa régua que ele precisa ser medido.

Lembremos Narciso que, certo dia, com sede, resolveu se debruçar na borda e beber do lago. Ao aproximar o rosto da água viu nela sua imagem refletida. Achou a imagem da água tão bela que se apaixonou perdidamente. Tão perdidamente que nunca mais saiu daquela posição de contemplação e, por isso, acabou morrendo de inanição, de fome.

O narcisismo mata mesmo, o comunicador político precisa fugir do natural narcisismo, precisa abandonar o impulso de se mostrar bem, mas sim convencer bem e atingir os corações da audiência.

Do mito de Narciso, Oscar Wilde extraiu um duplo. Segundo a criação desse dramaturgo e poeta inglês, quando Narciso morreu as Nereidas, que são as deusas que protegem os bosques e as montanhas, desceram e encontraram o lago em prantos.
- Não nos espanta que pranteies, lago. Afinal, Narciso era tão belo!
Narciso era belo? – respondeu perguntando o lago – Nunca percebi. Pranteio porque agora não posso mais admirar a minha beleza no espelho dos olhos dele.

O que podemos abstrair dessa criação de Wilde é que ao mesmo tempo que o comunicador precisa afastar seu narcisismo, precisa entender que o lago de pessoas que o ouve está sujeito ao mesmo processo narcísico. E, este sim, precisa ser alimentado minimamente, sob pena de que esse lago de pessoas nunca se dê conta do conteúdo que lhe está sendo comunicado.

Nesse sentido, pode ajudar muito na sua campanha, por exemplo, atrair o apoio de algum influenciador. Ele pode e sim, vai ser de valia. A questão é que isso é insuficiente, é preciso conversar diretamente com as pessoas.

A "direita" compreendeu isso à perfeição na eleição do Bolsonaro. Não havia um Chico Buarque, ou alguém de indubitável intelectualidade e liderança pedindo votos para ele. Eles fizeram isso conversando diretamente, via aplicativos sim, mas diretamente com o eleitor.

A transferência de prestígio importa, gera votos, mas é nada comparada à comunicação direta, personalizada. Essa sim é engajadora e determinante para o resultado.

Nesse sentido, nessa hora, use a metáfora da árvore de Keynes, regue a base, construa de baixo pra cima, que aí a casa não cai. Pense nisso e, muito boa sorte!

A antiga questão do imposto

A intenção aqui é dar subsídios a quem queira debater politicamente essa questão espinhosa e divergente, exceto por aquelas visões algo preconceituosas, que imposto só serve para político roubar ou até que o próprio imposto é em si um roubo. Isso não está completamente equivocado, naturalmente, mas recobre apenas uma parte mínima da questão.

Como é sabido, temos no Brasil uma das maiores taxas de arrecadação do mundo. Ela tem oscilado ano a ano, mas em geral ultrapassa ao equivalente a 32% de toda a riqueza real produzida no país. É esse o valor que acaba aportando no caixa do governo.

Só há um país na América Latina com taxas superiores à nossa: Cuba. Mas aquele país tem peculiaridades, que não cabem discutir aqui, que o tornam incomparável em absoluto para essa abordagem.

Dos trinta países que mais cobram impostos no mundo, o Brasil ocupa o décimo quarto lugar, mas o último (trigésimo) quando se fala em retorno em forma de serviços e vantagens à população.

E, por que isso acontece? Seria por causa do alto grau de corrupção que temos? Em parte, sim. Mas a corrupção está bem distribuída mundo a fora, e ainda que tenhamos uma corrupção alta, algo ao redor de três a cinco por cento dos valores recolhidos no âmbito federal, segundo dados não oficiais, naturalmente, não há país no mundo, por mais organizado e evoluído que seja, que consiga taxas de corrupção abaixo de um ponto, um ponto e meio por cento.

Em um levantamento da Transparência Internacional, órgão muito contestado, diga-se, o Brasil ocupa a posição

105, entre os 180 que ela pesquisou no quesito percepção de corrupção. Isso indica que devemos ter 104, dentre esses países, menos corruptos que o nosso, e 64 ainda mais corruptos. Algo suficiente para afirmarmos que a corrupção não pode explicar a necessidade de tanto imposto com taxas tão baixas de retorno.

Então, caros companheiros, o que explica essa alta taxa de recolhimento com esse baixo índice de retorno? O fato de um único item absorver uma parcela leonina do montante arrecadado, a saber, a amortização dos juros da dívida pública.

Vejamos que a dívida não é um mal em si, poderia significar que nosso Estado tomou dinheiro no mercado interno e externo para investir e, como desse investimento resulta naturalmente uma maior renda e, portanto, maior arrecadação, que ao fim paga a dívida. Eis um ciclo virtuoso... e fantasioso.

Não é bem esse o problema. Até porque não tomamos tanto dinheiro, mas sim, por razões diversas, muitas delas escusas, pagamos juros excessivos devido à taxa Selic elevada. No governo FHC, mesmo sem inflação, tivemos Selic de até 45%, por exemplo, quando no mundo nunca é muito maior que 1% e praticamente jamais atinge 3% nos países política e economicamente mais organizados.

Taxa Selic (% a.a)

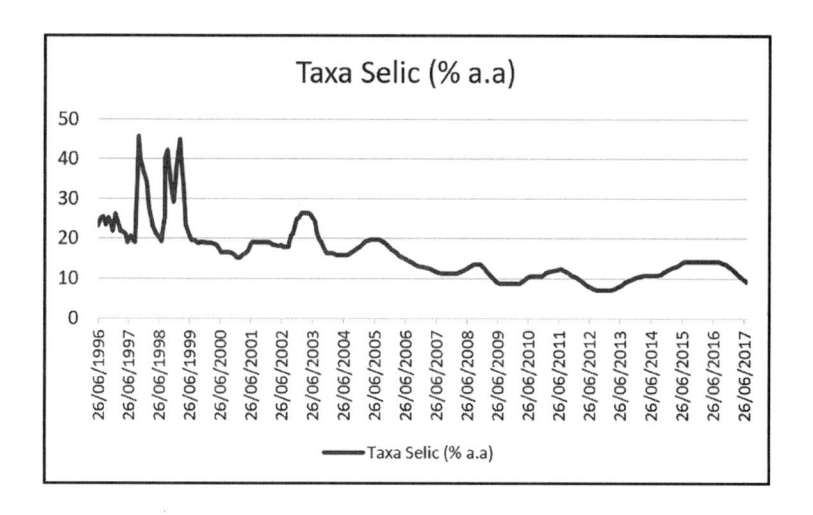

[Gráfico da Taxa Selic (% a.a) de 26/06/1996 a 26/06/2017, com valores variando entre aproximadamente 0 e 45%, apresentando picos próximos a 45% em 1997 e 1999, e decrescendo ao longo do tempo até cerca de 10% em 2017.]

Mas por que isso, por que pagar mais? Ocorre que a determinação de quanto o governo está disposto a pagar para tomar recursos reflete na taxa que os bancos vão usar nos seus negócios financeiros com o mercado, ou nos empréstimos aos seus clientes, e assim o percentual pago pode funcionar como um estimulador da atividade econômica em tempos de baixo crescimento, ou um freio, quando a base monetária se expande e o aumento de inflação volta a rondar.

Mas há outros fatores, sem dúvida, internos e externos. Um dos motivos para aumentar a taxa Selic é atrair investimentos, para que investidores aportem seus recursos nas terras tupiniquins, por exemplo. Seja por um ou outro motivo, o fato é que esse processo fez com que tomássemos recursos com as maiores taxas de retorno do mundo, e que agora nos corroem a capacidade de investimento e de retorno em serviços públicos mais amplos e de maior qualidade.

Muito bem, independentemente das razões que temos para as taxas atuais, o fato é que apenas o funcionalismo público, os serviços da dívida, e os valores carimbados por lei para determinadas atividades impõem que, se houver diminuição na arrecadação, teremos que ou declarar moratória (o que acaba nos colocando como párias no sistema financeiro internacional, fechando todas as portas para uma série de oportunidades) ou reduzir os salários do servidores públicos, por exemplo, que pelo absurdo nem vamos comentar, ou então fechar hospitais, escolas e delegacias – que aparentemente é a escolha do atual governo -, algo que dispensa maiores análises. São as ações mais deletérias para o Estado e, principalmente, para a Nação.

O fato é que vemos recorrentemente a grande maioria, praticamente a totalidade dos brasileiros pedindo redução nos impostos, mas sem sopesar as consequências diretas disso, caso fosse implantada essa almejada redução. Os maiores trombones nesse sentido são tocados pelos empresários, sem dúvidas, ainda que na maioria dos casos pedido redução no seu segmento, para assim aumentar sua participação na repartição do bolo econômico produzido no país.

Há, contudo, duas categorias bem distintas que reclamam pela redução de impostos que gostaríamos de aprofundar: a categoria dos menos-validos, dos assalariados mal pagos, entre outros, e a categoria dos altos funcionários públicos.

Os mais pobres, por exemplo, seriam os mais prejudicados com uma redução dessas. Isso porque a renda deles é complementada exatamente com o dinheiro originário dos impostos.

Senão vejamos. Se não houvesse mais escola pública o trabalhador que tem filhos teria uma redução drástica nos valores que dispõe mensalmente. Seria o equivalente a ver o seu salário reduzido da noite pro dia.

E se também os hospitais públicos fossem fechados? Ele teria de pagar um plano privado ou contar com a sorte pra continuar vivendo, porque seu salário muito dificilmente poderia pagar uma cirurgia do coração, por exemplo. Nos Estados Unidos a saúde privada como única opção é uma situação real e calamitosa.

Voltando. Se o trabalhador que falávamos insistisse em pagar plano de saúde e escola particular para todos os filhos, ele provavelmente teria de morar ao relento e pra poder comer teria talvez que contar com a ajuda de alguém.

Se dispusesse dessas informações, em profundidade, talvez nenhum assalariado embarcaria nessa campanha pela redução nas alíquotas dos impostos, ainda que o senso comum entenda a redução como benéfica, algo em parte verdadeiro para a classe reconhecida como classe média, mas não para a massa trabalhadora.

Talvez alguém diga que o pobre, pela condição natural da classe dele, não teve acesso à informação, por isso pensa assim. Vejamos então uma categoria diametralmente oposta, composta por juízes, desembargadores, generais e demais altos funcionários públicos.

Nesse caso o impacto seria ainda maior, porque além de não poder mais se valer de serviço público gratuito, como para o tratamento de um câncer, por exemplo, completamente subsidiado pelo SUS, esse funcionário estaria vendo seu patrão, o Estado, impossibilitado de pagar o seu próprio salário nos níveis que paga hoje.

Acresce que o imposto que ele abomina ver descontado em seu holerite, e contra o qual se insurge, sequer é realmente pago por ele, vez que seu salário já é composto exatamente pelo recolhimento de impostos.

O imposto é necessário, é indispensável para a manutenção e crescimento da sociedade. Sua função principal, quando bem aplicado, é a redistribuição indireta da renda, fazendo que os mais ricos, por meio dos impostos que pagam, repassem riqueza para os mais pobres, que a usufruem por meio dos serviços prestados pelo Estado, que os realiza por meio de servidores que têm seu salário garantido exatamente pelos impostos.

Temos sim grandes problemas relativos a impostos nesse país, dentre eles, pelo menos dois são fulcrais.

O primeiro se refere ao serviço da dívida contraída no passado, absolutamente fora dos padrões internacionais. Muito insustável isso, necessitaria de uma renegociação, que até hoje não tivemos governo forte o suficiente para propor e realizar, já que a solução para esse problema envolveria uma devassa nos contratos de dívida do passado, impactando nos valores pagos hoje. Há décadas que o lobby dos credores impede que isso seja feito.

O segundo se refere à iniquidade das alíquotas de arrecadação. Temos uma política tributária que dispensa de cobrança, por exemplo, a retirada de dividendos pelos sócios das empresas. Os dividendos são uma parte do lucro dessas empresas – este sim tributado – destinados aos sócios.

Ora, um trabalhador investe seu trabalho e tem imposto descontado já em folha, inclusive imposto antecipado, como o IR. O indivíduo em melhor condição, que se associa a uma empresa, recolhe seu quinhão absolutamente livre de impostos?

Que seja um absurdo ninguém duvidaria, mas há outros países do mundo que liberem essa taxação? Há, um só, a Estônia. País com economia grande só o nosso.

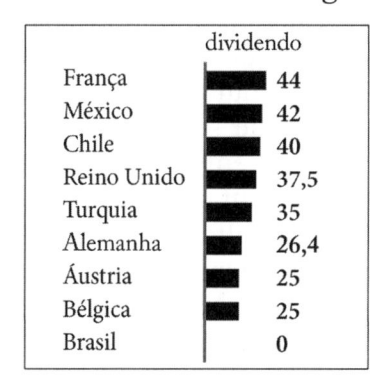

	dividendo
França	44
México	42
Chile	40
Reino Unido	37,5
Turquia	35
Alemanha	26,4
Áustria	25
Bélgica	25
Brasil	0

Outro problema são as heranças, que no Brasil pagam valores ínfimos, que vão de 2% a 8%, a depender do estado da federação, e com uma média nacional ao redor de 4%. Isso acaba mantendo nas famílias as riquezas obtidas por várias gerações anteriores, uma riqueza que assim perde completamente qualquer função social, como seria justo que tivesse, uma vez que não foi fruto do trabalho de uma só pessoa. E mais, fere o princípio constitucional do fim social da propriedade.

Dissemos acima que uma função precípua do imposto, quando bem aplicado, é a distribuição de renda. Essa deveria ser mesmo garantida por ele, mas...

Mas, como tivemos oportunidade de expor no capítulo onde este tema foi trazido, voltamos para a parte em que os autores divergem. Por isso eu, Sálvio, sou o único responsável pelo que aqui se segue, e na sequência vem a posição do Leonardo Stoppa.

Entendo que nossa tributação está alicerçada no consumo, e isso acaba fazendo do trabalhador o maior pagador de impostos, pois que consome 100% da sua renda, enquanto os muitos ricos consomem apenas uma pequena fração de sua renda. Seus rendimentos são quase que inteiramente reaplicados em fundos, ou isentos ou de baixa tributação.

Claro que individualmente, o valor nominal de impostos pagos por um rico tende a ser maior que o de um trabalhador comum. Mas a questão tributária é não absoluta, é relativa, e o trabalhador, em termos percentuais, paga muito mais.

E o fato de os trabalhadores serem em muito maior número liquida a fatura: faz com que as pessoas pobres, como conjunto, paguem muito mais que as pessoas ricas, também em conjunto, tanto em termos relativos quanto em valores absolutos. Já as empresas e bancos nada pagam, transferem tudo aos produtos e serviços que fornecem.

Acrescente-se a essas ideias, a esse cenário, que nem todo o imposto é aplicado em benefício da população. Parte dele, por exemplo, é destinado ao BNDES, e de lá é endereçado a Joesleys e outros grandes empresários, que vão sim contratar mais trabalhadores [únicos a realmente gerar riqueza e que são a origem maior da espiral arrecadatória] mas sempre com a finalidade de enriquecer mais, portanto aumentando a desigualdade. O jogo é bruto.

Sendo verdade o principal do que até aqui se disse, o grito progressista não deve ser contra os impostos, mas sim deve ser:

QUEREMOS UMA REFORMA TRIBUTÁRIA QUE INVERTA A LÓGICA INÍQUA DE COLETA E DE DISTRIBUIÇÃO DOS IMPOSTOS!

Há outros absurdos na nossa seara tributária. Exemplo, o automóvel usado pelo trabalhador, nas mais das vezes ainda financiado, tem de pagar IPVA e seguro obrigatório. Já os aviões a jato dos executivos são absolutamente isentos, os helicópteros idem. Assim também os Iates, os Jet-skis, as lanchas de luxo...

A conclusão é: não, o problema não é o imposto, o verdadeiro problema é a (i)lógica arrecadatória. Essa é, portanto, a minha posição.

Já o Leonardo, com seus motivos, diverge que o trabalhador seja o responsável direto pela geração de riqueza ou que esteja concentrada nele a carga tributária. Em suas palavras:

É relativa a visão que "todo imposto é transferido para o produto", tal observação desconsidera efeitos de mercado que naturalmente substituiriam o imposto e fariam o produto retornar aos valores iniciais (com os impostos). Porém, aí esses valores estariam inteiramente à disposição das empresas, em forma de lucro, e seriam possivelmente expatriados. E essas empresas continuariam pagando salários de acordo com a lei da oferta e da procura. Alguns produtos, dada à sua característica de elasticidade de demanda, sequer sofreriam modificação em seus preços se fossem retirados os impostos deles.

Assim com os salários. Em um cenário desregulamentado, as empresas podem acordar em adotar uma tecnologia de produção que permita manter o desemprego em um nível que force para baixo os salários, levando os trabalhadores ao salário apenas suficiente para sua subsistência.

Apesar de entender que o que o Sálvio tenha proposto apenas uma repactuação de alíquotas, menos centradas no consumo, reitero que argumentar contra os impostos é sempre perigoso, pois seria um reforço ao lobby pela destruição da redistribuição de renda, o que produziria um estado decadente, chegando ao mínimo. Por mais que exista no pensamento de esquerda marxista a ideia de que é o bastante tributar e tributar, se não houver lucro competitivo para a atividade econômica, o negócio se inviabiliza e acontece o que estamos vivendo hoje: a fuga de investimentos, o que significa que criar reformas que permitam bitributação não elevaria a capacidade de arrecadação, pelo contrário, tornaria a atividade econômica inviável.

Sou um economista que pensa que hoje qualquer proposta no sentido de reforma tributária a fim de aumentar a tributação dos ricos seria uma proposta meramente populista, já que o Brasil tem se tornado cada vez mais inviável para a atividade econômica. Tanto mais agora, pois além do tamanho da carga tributária, o fator risco do negócio é decisivo na hora de se investir em um país, o que significa que pode ser mais lucrativo investir em um país sem Bolsonaro com a carga tributária de 50% do que investir no Brasil com uma carga tributária de 5%!

Por isso concluo diferentemente do amigo Sálvio: n ão fale, e nem pense, em reforma tributária durante a crise: se quando a economia estava boa não tivemos reforma, se ela acontecer agora vai dar isenção total de impostos aos ricos para que eles não fujam do Brasil!

O imposto invisível

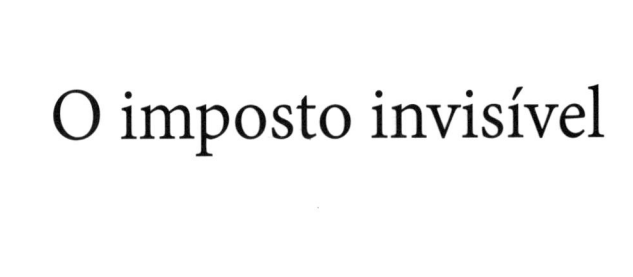

Entre a classe proletária não é incomum que alguém ache que simplesmente não paga imposto, porque não declara imposto de renda e nunca foi à boca de um caixa pagar um talão de imposto. Mas sabemos que na realidade o trabalhador paga muito imposto. Quando vai à farmácia, por exemplo, porque o imposto é parte do preço que ele paga pelo remédio, a mesma coisa no supermercado e com todo o demais que todos compramos.

Assim como há quem pense que não paga juro, que não alimenta a ciranda financeira, porque é previdente, não toma dinheiro emprestado e não compra parcelado com juros.

Usemos um exemplo. Mesmo que você compre algo a dinheiro, digamos, uma fruta, o agricultor que a produziu se financiou no banco, o caminhoneiro que a transportou paga seu caminhão financiado, eventualmente o quitandeiro também financia seu capital de giro na agência bancária mais próxima. Tudo isso, todos esses valores acabam agregados ao preço que você está pagando. Indiretamente, portanto, todos nós somos afetados pelas taxas de juros vigentes. Assim mesmo, dessa maneira, funciona a cadeia de impostos.

Essas falácias precisam ser entendidas por dois motivos. Primeiramente para que não sejamos desastrosos quanto ao que pensamos a esse respeito, o que pode neutralizar ou inverter o resultado da luta que travamos.

Por outro lado, para que na comunicação tenhamos clareza dessas coisas fundamentais, para que as pessoas, ao entenderem o processo, possam agir em favor do seu interesse, e não no interesse de quem na realidade concorre com elas na obtenção do quinhão de conforto e segurança que a disponibilização de recursos pode gerar pra si e pra suas famílias, como ocorre com tantas pessoas que hoje têm sido identificadas como "pobres de direita".

E, quando falamos pobres, estamos falando de quem não tem um teto, mas também de quem tem. Estamos falando do profissional liberal, mas também do pequeno e médio empresário.

Porque os únicos a se locupletarem com a desinformação que faz as pessoas defenderem pautas como: globalização, privatização, desregulamentação, reformas que atentam contra os direitos trabalhistas e a aposentadoria... não é o dono do mercado do bairro. Nem o dono dos quatro supermercados da região.

Quem se locupleta com isso são os donos dos bancos e dos grandes conglomerados fabris. E também são eles que costumam ser consultados pelas autoridades antes que elas tomem decisões ou criem leis. São os capitalistas, no verdadeiro sentido da expressão, que se locupletam, e não aqueles que aprovam esse modelo econômico e vangloriam-se dele ao tecer críticas contra a Venezuela. Locupletam-se os donos do capital, já que neste sistema, o capitalismo, capitalista é quem tem, proletariado é todo o demais, os quase 99% que trabalham para quem tem.

Quando você vir um vídeo de um *youtuber*, o jornal Nacional, ou ouvir a opinião de um amigo ocasional no bar, mantenha isso em mente. Isso vai te ajudar a se livrar das ciladas hipnóticas, repetidas como bordões.

Se algum amigo insistir em viver o sonho de um mundo sem impostos, sugira que desenvolva suas atividades no meio de uma floresta. Nenhum fiscal irá lá lhe cobrar impostos! Nada mais justo, já que nenhum serviço público e nenhuma estrutura urbana lhe estará disponível!

Agora, se você é um formador de opinião, procure literatura especializada e se aprofunde nesses assuntos.

Se pretende se candidatar, cuidado! Você pode acabar eleito. E, uma vez eleito, lute por quem depende de seu representante, por quem não tem voz nem vez.

Você pode mudar a vida de muitas pessoas falando na tribuna uma palavra certa, divulgando uma ideia estruturada. Porque até mesmo o colega de casa mais comprometido, pode ser persuadido. Mas pra isso não basta defender um ponto de vista com paixão, é preciso dar argumentos irrefutáveis e dados concretos.

Quase sempre funciona, ainda que em parte. E a discussão sobre a tributação é tão importante no legislativo municipal como no Senado Federal, por exemplo. O alcance é menor, mas o estrago pode ser do mesmo tamanho para as pessoas diretamente atingidas.

Por fim, em tempos em que palavras como comunismo e socialismo estão completamente canceladas, no momento em que o capitalismo liberal - que de alguma forma foi o que sempre prevaleceu no ocidente - grassa, ainda podemos sim falar em favor dos impostos, desde que devidamente distribuídos, recaindo mais sobre quem pode mais.

O imposto, por tudo que se disse aqui, é o fator mais crucial para se alcançar alguma distribuição de renda. Lutemos por uma taxação mais justa, sem os gatilhos de disfarce que empurram aos menos validos a carga quase inteira, lutemos por alíquotas menores para produtos mais essenciais à manutenção da vida, mas não sejamos contra o imposto indiscriminadamente, em especial quem dele mais depende, ou seja, todos nós que não somos os capitalistas, mas que vivemos no mundo governado e ditado por eles.

Por fim é necessário esclarecer que embora muito do que há nesse capítulo seja fato, há muito nele de interpretação. Esse assunto requer um espaço maior, uma pesquisa mais completa. E há muita falácia quando o ganho está em disputa. Por exemplo, para acabar com o imposto sobre os dividendos recolhidos pelos sócios, o governo FHC, em 1996, disse que retirava o imposto por se tratar de bitributação, já que o lucro já era objeto de tributos.

Um argumento aparentemente pertinente, mas apenas por esconder dois fatos cruciais. O primeiro é que quem foi tributado foi o CNPJ, mas quem está recebendo essa renda é um CPF. Duas figuras jurídicas inconfundíveis. O segundo fato escamoteado é que nenhum outro país do mundo (exceto a Estônia) chegou a essa formulação esdrúxula.

E são os argumentos falaciosos, mentirosos, que mais costumam ser proferidos com grandiloquência, com grande rumor, batendo no peito, arrogando conhecimento superior.

Mas isso não nos impede de reconhecer que no geral o assunto é controverso, passível de outras interpretações.

Para terminar cumpre dizer que esse capítulo mais expressa a opinião de um dos autores, a saber, o meu. O outro, Leonardo Stoppa, diverge em vários dos pontos aqui dispostos, notadamente os relativos à corrupção percebida e a corrupção real, e quanto aos quinhões amealhados da classe abastada e da classe proletária. Mas ele trará esses temas desenvolvidos num futuro volume da série que está sendo preparada. Contudo me pede para lembrar algo sobre o qual estamos de pleno acordo, que o ideal para a Comunicação Política é se comprometer com uma melhor gestão dos impostos, para permitir a redução da dívida pública. Usar os impostos de forma mais eficiente, combatendo desperdícios, até o ponto em que o crescimento econômico permita sua gradual redução.

Apenas que, de minha parte, sugiro que reflitamos sobre os pontos todos abordados nesse capítulo, pensando-os organicamente com outros temas tratados no livro e também observados na sua vida prática.

Ainda que aqui estejam apenas esboçados, devido ao fato de não se constituírem centrais nesse volume, eles podem ser de grande valia no debate com os companheiros progressistas, com a família e amigos, e notadamente em algum debate público. Pois são temas que de forma nenhuma têm sido tratados a miúde, seja na mídia, seja no debate político público.

Convicção
Conveniente
Cicloalimentada

Ao estudar os efeitos dos meios de comunicação de massa, Noelle-Neumann propôs, nos anos 1960, uma teoria chamada *espiral do silêncio*.

No decorrer das campanhas eleitorais alemãs de 1965 e 1972, na Alemanha, ela estudou o eleitorado socialdemocrata e democrata cristão. Em ambas os dois partidos se alternavam na liderança, mas na reta final ocorreu uma súbita mudança de opinião dos eleitores.

O que ela descobriu, por meio de seus estudos, foi que ao mudar de opinião, os eleitores buscavam se aproximar de opiniões que julgavam dominantes.

Eram, na verdade, opiniões impostas pela consonância temática da mídia, que consiste numa abordagem unilateral por diversos meios de comunicação. Na época da pesquisa isso era obtido principalmente por meio de veiculação nas televisões, por sua vez, comprometidas com a visão de seus acionistas. Hoje isso está potencializado pelas várias redes sociais e grupos de telecomunicação.

A comunicação social determina a pauta pública. Por exemplo, ao ressaltar certos assuntos e preterir outros, e isso influencia na formação da *espiral do silêncio*, que acaba por guiar a opinião pública.

Quando em algum assunto polêmico um lado é superestimado, muitas pessoas são influenciadas a seguir por ele, independentemente de seus pendores pessoais. Da mesma forma, quando há um lado subestimado, as pessoas tendem a afastar-se dele.

Há pessoas que tendem a falar o que pensam em qualquer circunstância, mas aparentemente há um número maior delas dispostas a manterem-se em silêncio quando submetidas a ideias diversas daquelas que elas apoiam. E isso faz gerar uma cadeia de silentes.

Aristóteles já apontava para a natural necessidade de sociabilidade entre os humanos. E é essa necessidade que atua gerando essa espiral, ou seja, é o desejo de pertencimento que a gera.

Trata-se de um processo que pode ser disparado distintamente. Há, por um lado, uma importante parcela de indivíduos que recorre aos meios de comunicação para se inteirar sobre quais temas falar e a como se expressar sobre eles a depender do que observa no ambiente. Mas há, por outro lado, coberturas ostensivas de um mesmo acontecimento, e essas tendem a instaurar o debate parcial.

O que os meios midiáticos produzem é uma aculturação, um padrão de estabilidade através da veiculação de imagens, práticas e crenças, em um sistema que é estruturado de forma a beneficiar apenas as elites econômicas, que, aliás, costumam comungar os mesmos pontos de vista das elites.

Um desdobramento da *espiral do silêncio* foi desenvolvido pelo psicólogo americano Daniel Ketz (1903-1998) que chamou sua teoria de *ignorância pluralística*, que é caracterizada pela percepção errada do que se acredita ser a opinião majoritária.

Neste caso, um grupo rejeita uma opinião de forma inapropriada, apenas por entender que a maioria também a rejeita, mesmo quando esta não é a real opinião majoritária.

Muito bem. O que eu, Leonardo Stoppa, estou propondo, como um desdobramento do que vimos até aqui, tenho chamado de *Convicção Conveniente Cicloalimentada*.

Ela aceita e envolve os conceitos aqui apresentados, mas acrescenta um novo elemento, a vergonha. Sim, a vergonha é um dos fatores mais fundamentais para manter a pessoa na *espiral do silêncio,* mesmo quando ela advém da *ignorância pluralística.*

Apenas para facilitar, vou apresentar essa teoria me valendo diretamente de um exemplo atual, de amplo conhecimento e comentado diariamente pela maioria de nós. O caso da cloroquina.

Não importa aqui quem está ganhando com isso, nem o que nos trouxe até a situação atual. Basta-nos o fato que tivemos um presidente eleito sob as condições que todos conhecemos.

Muito bem, esse presidente chega e diz algo como: "bem, temos a doença, a COVID19, mas temos a solução, a Cloroquina!". E isso é repetido em todos os meios de mídia, de redes de grupos etc.

Imediatamente aquele cidadão que num passado recente apoiou fervorosamente esse presidente tende a replicar o que ouviu. Encontra naturalmente no seu meio outros indivíduos dispostos ao mesmo, ou seja, a proclamar a cloroquina como remédio decisivo contra o vírus, de tal maneira que se forma toda uma cadeia de pessoas intercomunicadas que defendem essa mesma ideia, e isso gera o conforto psicológico do pertencimento em todos eles.

Da mesma forma, o indivíduo que lutou pelo Lula até o último dia e depois lutou pelo Haddad e pelo "Ele Não!", fala: "balela, essa cloroquina não serve pra COVID19 de forma nenhuma, estão só enganando o gado de direita, esses idiotas...".

O tempo passa.

O indivíduo que acredita na Cloroquina acaba sabendo que uma pessoa tratada com a droga morreu. Depois sabe de mais casos, vai perdendo a fé que tinha no remédio, mas tem vergonha de comentar, por exemplo, com um companheiro de trabalho por dois motivos. Primeiro porque não quer passar pelo vexame de voltar atrás, de dizer que estava errado, que foi enganado. Segundo porque não quer ser visto pelo outro como um idiota daqueles que não acreditam em Cloroquina.

O descrente, por sua vez, acaba sabendo que há sim casos em que a Cloroquina pode ajudar no tratamento, muda internamente sua posição inicial, mas não comenta com um companheiro, pelo mesmo motivo que a pessoa do outro lado: vergonha!

Convicção Conveniente Cicloalimenta é isso: o emissor induz o receptor à extrema defesa de um argumento, e essa a faz com tamanho afinco e comprometimento pessoal, que torna para si uma vergonha abandonar o posicionamento que assumiu anteriormente.

A espiral do silêncio impera soberana no ambiente onde um tema não pode ser contestado.

Ainda que todos mudem, mesmo que ligeiramente, a ideia inicial sobre o tema, para o grupo a ideia inicial continuará sendo o paradigma.

É por ele que passa a ser uma vergonha negar uma posição que já foi assumida sobre o tema.

Mas se fosse somente isso poderia ter um nome menos extenso. Acontece que essa Convicção inicial é uma condição do indivíduo perante o grupo, isso porque na maioria das vezes o grupo já percebeu que errou, já se sente obrigado a sustentar o erro para não decepcionar os demais. Porém, na condição de alguém que defende o que ninguém mais acredita, acaba percebido como idiota, e essa idiotia é cicloalimentada pela passividade coletiva, porque o grupo reforça aquilo que seus componentes já não acreditam mais idivualmente, exatamente (e paradoxalmente) em nome da fidelidade ao grupo e ao pensamento inicial.

Mas, apenas no intuito do aclaramento, vamos nos valer de um exemplo. Imaginemos três cidadãos: cidadão A, cidadão B e cidadão C. Neste exemplo os três são eleitores do Bolsonaro, mas importa ter em mente que este fenômeno acontece igualmente entre os opositores do Bolsonaro, bastando mudar a percepção de *poder de cura da variável Cloroquina.*

Momento 1: Trump e Bolsonaro anunciam cloroquina como cura da COVID-19

> Como consequência, cidadãos A, B e C saem desesperadamente na defesa ferrenha da cloroquina como cura da COVID-19, estabelecendo o primeiro critério para a implementação

desta teoria, que é a defesa pública de uma causa, e de modo tão extremo que torne difícil abandoná-la posteriormente.

Momento 2: Pesquisas oficiais e casos de mortes de pacientes com COVID-19 começam a balançar a crença de todos os cidadãos envolvidos no exemplo.

Esta dúvida normalmente leva os personagens a pesquisarem formas de continuarem sustentando sua crença. Para isso procuram evidências contrárias, ainda que intimamente já estejam plenos de dúvidas. Seguem, porém, na defesa ferrenha do tema.

Momento 3: Estágio avançado dos estudos sobre o tema. Nenhum órgão especializado mais tem dúvidas em afirmar que o medicamento não é eficaz. Todos os países param de usar o medicamento. O próprio Bolsonaro já não fala mais sobre a cloroquina.

Nenhum dos cidadãos envolvidos ainda acredita na eficácia do medicamento. Mas quando se encontram e entram no tema, os três, com medo de admitirem o erro e com medo de serem rejeitados pelo grupo, continuam a defesa ferrenha, levantando mais teorias conspiratórias, cedendo cada vez mais ao absurdo para defender o tema.

"O Imbecil é o Outro..."

O cidadão A não acredita mais, mas fala que acredita para não decepcionar os cidadãos B e C (e para evitar ser visto por eles como um imbecil), concluindo desta forma que B e C são imbecis, por não terem ainda se dado conta.

Igualmente, o cidadão B não acredita mais, mas fala que acredita para não decepcionar o cidadão A e C (e também pra evitar ser avaliado como tolo por eles), concluindo desta forma que A e C são imbecis.

Com o cidadão C, claro, acontece o mesmo processo.

Assim, o ciclo segue indefinidamente, sustentado pela vergonha de admitir o erro e pelo medo de perder a admiração do grupo e, consequentemente, o pertencimento. Todos passam a se perceber como idiotas, o que é um prejuízo para a relação. Na tentativa de diminuir a vergonha, esses cidadãos procuram novas formas de embasar suas teorias, aprofundando ainda mais o grau de estupidez, afundando no obscurantismo e comprometendo cada vez mais a sua reputação social.

pólen soft 80 gr/m2
tipologia Adobe Caslon Pro
impresso na primavera de 2020